恰到好处
的　幸福

毕淑敏
作品

Providential

Happiness

湖南文艺出版社
HUNAN LITERATURE AND ART PUBLISHING HOUSE

博集天卷
CS-BOOKY

恰 到 好 处 的 幸 福

恰到好处的幸福

　　我学医生涯的开端颇为惊悚。根本就不懂任何医学知识的新兵到了西藏边防部队，卫生科长对我们说，给你们每人分一个老卫生员为师，让他先教你们打针，然后穿上白大褂就能上班了。

　　我觉得这不像学医，像学木匠。我师傅是个胖胖的老卫生员。说他老，大约也只有20岁出头吧，但对16、7岁的我们来说，已足够沧桑。他找来一个塑料的人体小模型，用粗壮的食指在那人的屁股上画了个虚拟的"十"字，然后说：打针的时候，针头扎在臀部这个十字的外上四分之一处，不然容易伤了神经。伤了，下肢就会瘫痪。

　　很可怕。我点点头，说记住了，屁股的外上四分之一。

　　老卫生员说，从此你不能说屁股，说臀部。

　　我像鹦鹉一样重复：臀部臀部。

　　老卫生员又说，记住消毒的步骤，先是2%碘酒，再是75%酒精。棉球要涂同心圆，不能像刷油漆似的乱抹。

　　我说，记得啦！

　　老卫生员又说，考考你。酒精要用多少度的？

　　我说，75%。

　　他说，那么，80%的行不行呢？

　　我暗自揣摩，75%一定是能达到消毒目的的最低标准。藏北山高路远，所用物资千里迢迢地运来，使用一定力求节省。所以，问题的答案不言而喻。

　　我说，80%行。

　　老兵的面容很平静，继续问，那么，90%的酒精怎么样？

　　我说，那当然也行。

　　老兵说，100%呢？

　　我说，肯定更好啦！只是那样太浪费了。

　　老兵被高原紫外线晒成紫色的脸庞，变成棕黑色，说，错啦！75%的酒精可以破坏细菌的膜，药水渗入到内里去，整个细菌就被杀死了了。浓度更高的酒精，飞快地把细菌外膜凝固了，就像砌起一道墙，反倒阻止了药液进一步浸透到细菌内部，杀不死细菌，有些东西，并不是越浓越好，要恰到好处。

那一天，我记住了"臀部"和"恰到好处"。

我到国外某机构参观。辉煌大厅中竖立着金字的企业精神。其中有一条，叫作"合理期望"。

我说，这一条有点特别。一般都会更励志一些，比如"崇高期望"云云。

陪同人员解答，这是我们的创始人尊崇的原则。期望并不是越高越好，而是要恰到好处。期望太高了，达不到，就会心生怨恨和沮丧，长久以往，就会丧失信心。期望太低了，没有动力和目标，得过且过，也会让人萎靡不振。所以，合理的期望，是一种正确评估，在愿望和实际情况之间，找到最佳的平衡点。

在那一瞬，我向后回忆想到了酒精，向前展望想到了幸福。

酒精的浓度不能太高，过了那个最佳值，结果就适得其反。幸福也是一样，切不要贪得无厌。

有些人，把目光瞄向自己目力所及的享受最高等级处。某种机缘看到了好房子，就设想以后能在这屋结婚生子。看到豪华的车，就设想能开着这车呼朋引类风驰电掣。看到人家的高职务，就发愿我以后要比你升得更高。看到别人的娇妻，就想我的伴侣定要倾国倾城。看到人家狂发美食图片，暗自发誓有一天我将吃龙肝凤髓并昭告天下。知道寿星活了90岁，就渴慕自己赶超100岁……

凡此等等，皆为不合理期望。

且不说把这些物质形态和外在指标当成是否幸福的指标是否明智，单说目光如此之高，便有违"恰到好处"这一原则。

房子完全不需要那么大，够用即可。太大了，就算你有那个银两买下来，也是暴殄天物。地球资源有限，你为什么要享用那么多的地盘，剥夺了他人的空间？

食品完全不必那么精益求精，因为它的主要功能是为我们的机体提供营养。只要洁净并能够供给身体的需求即可。太稀缺惊险的食材，太复杂劳烦的烹制方法，太考究并故弄玄虚的进食环境，都是不可取的。它们所附着的是炫耀高阶层的沾沾自喜，而这些，恰好和幸福朴素温暖的宗旨不相容。

配偶不必求国色天香出人头地，价值观相同，彼此说得来话，相互喜欢，就是神仙伴侣。

职务这件事儿，和你能力有一定的关联，但也和局面与关系牵连，并不是单纯凭着努力就一定达到目的，高下也没有绝对的公平。刨去坏人，这世界上的能人很多，自己做不到那个位置，让别人来做，未必就一定不妥。僧多粥少的事情，为何非要收入你囊中？

车子主要是代步工具，不必把它看成是硕大的勋章或是族徽，彰显财力不可一世。那不是幸福的氛围，而是自卑的秽气沿街抛洒。

至于活多久，这可是含有天机的秘密。你不可胜天，不要太狂狷。况且生死并不是胜败与否的决斗，只是无尽长河中的一环。泰然相向，生命之高下并不决定于绵长或短暂，更在于丰美和深邃。

身体健康也不必求全，就算体检表上有了向上或是向下的小箭头，我们也可以适时纠正。实在纠正不了，从容逝去就是。幸福是思想的花朵，和身体器官是否无懈可击，并不相关。

恰到好处，是一种哲学和艺术的结晶体。它代表的豁达和淡然，是幸福门前的长廊。轻轻走过它，你就可以拍打幸福的门环。

恰 到 好 处 的 幸 福

目录
Contents

毕
淑
敏
文
集
〈
〈

恰 到 好 处 的 幸 福

幸福的七种颜色

文 毕
集 淑
〜 敏
〜

　　幸福应该有多少种颜色呢？

　　"说不清。"我回答。

　　大家听了可能有点迷糊，说："你自己既然不知道，为什么又曾说过幸福有七种颜色呢？"

　　在文化中，"七"这个数字有一点古怪。

　　欧洲人自古以来就格外钟情于"七"这个数字。最早的源头该是古希腊人，许多巧合都和"七"有关。希腊人认为自然界是由水、火、风、土四种元素组成的，而社会的基本细胞是家庭。把完整的家庭细分，是由父亲、母亲和孩子三方组成。再做一次加法，把自然和社会组成的世界统计一下，就有七种基本元素。古希腊人酷爱加法，认为世界的基本图形是正方形、三角形以及完美的圆

形，毕达哥拉斯学派就是这一主张的坚定拥趸。你劳神把这些图形的角的数量加起来，哈！也是七。由于太多的东西与神秘的数字七有关，他们造七座坛、献七份祭、行七次叩拜之礼，什么都爱凑个七字。"七大主教"、"七大美德"，连罪也要数到"七宗罪"。当然，最著名的是神也喜欢七，于是一个星期是七天，第七天你可以休息。

七在佛教里面也是吉祥之数，有七宝、七层浮屠等。中华文化对七也颇有好感，《说文》里面说："七，阳之正。"这个七啊，常为泛指，表明多的意思，又神秘又空灵。

托尔斯泰老人家说，幸福的家庭都是相似的，唯有不幸的家庭，各有各的不幸。我当过多年的心理医生，觉得不幸的家庭都是相似的，唯有幸福的家庭却是各有各的不同。

你可能要说，这不是成心和托尔斯泰抬杠嘛！我还没有落到那种无事生非的地步。你想啊，只有香甜的味道，才可反复品尝，才能添加更多的美味在其中，让味蕾快乐起舞。比如椰蓉，比如可可，比如奶油……丰富的层次会让你觉得生活美好万象更新。如果那底味已是巨咸、巨苦、巨涩，任你再搁进多少冰糖多少香料都顷刻消解，那难耐难忍的味道依然所向披靡，让你除了干呕，再无良策。

早年间我当兵在西藏阿里，冬天大雪封山，零下几十度的严寒，断绝了和外界的一切联系，我们每日除了工作就是望着雪山冰川发呆。有一天，闲坐的女孩子们突然争论起来，求证一片黄连素的苦可以平衡多少葡萄糖的甜（由此可见，我们已多么百无聊赖）。一派说，大约500毫升5％的葡萄糖就可以中和苦味了。另外一派说，估计不灵。500毫升葡萄糖是可以的，只是浓度要提高，起码提到10％，甚至25％……争执不下，最后决定实地测查。那时候，我们是卫生员，葡萄糖和黄连素乃手到擒来之物，说试就试。方案很简单，把一片黄连素用药钵细细磨碎了，先泡在浓度为5％的葡萄糖水里，大家分别来尝尝，若是不苦了，就算找到答案了。要是还苦，就继续向溶液里添加高浓度的葡萄糖，直到不苦了为止，然后计算比例。临到实验开始，我突然有些许不安。虽然小女兵们利用工作之便，搞到这两种药品都不费吹灰之力，但藏北到内地山路迢迢，关山重重，物品运送到阿里不容易啊，不应这样为了自己的好奇暴殄天物。黄连碎末混入到葡萄糖液里，整整一瓶原本可以输入血管救死扶伤的营养液就报废了。至于黄连素，虽不是特别宝贵的东西，能省也省着点吧。我说："咱缩减一下量，黄连素只用四分之一片，葡萄糖液也只用四分之一瓶，行不行呢？"

我是班长，大家挺尊重我的意见的，说："好啊。"有人想起前两天有一瓶葡萄糖，里面漂了个小黑点，不知道是什么杂物，不敢输入病人身体里面，现在用来做苦甜之战的试验品，也算废物利用了。

试验开始。四分之一片没有包裹糖衣的黄连素被碾成粉末（记得操作这一步骤的时候，搅动得四周空气都是苦的），兑到125毫升浓度为5％的葡萄糖水中。那个最先提出以这个浓度就可消解黄连之苦的女孩率先用舌头舔了舔已经变成黄色的液体。她是这一比例的倡导者，大家怕她就算觉得微苦，也要装出不苦的样子，损害试验的公正性，将信将疑地盯着她的脸色。没想到她大口吐着唾沫，连连叫着："苦死了，你们千万不要来试，赶紧往里面兑糖……"我们为自己"以小人之心度君子之腹"感到羞惭，拿起高浓度的糖就往黄水里倒，然后又推举一个人来尝。这回试验者不停地咳嗽，咧着嘴巴吐着舌头说："太苦了，啥都别说了，兑糖吧……"那一天，循环往复的场景就是女孩子们不断地往小半瓶微黄的液体里兑着葡萄糖，然后伸出舌尖来舔，顷刻抽搐着脸，大叫："苦啊苦啊……"

直到糖水已经浓到了几乎要拉出黏丝，那液体还是只需一滴就会苦得让人打战。试验到此被迫告停，好奇的女兵们到底也没有求证出多少葡萄糖能够中和黄连的苦味。大家意犹未尽，又试着把整片的黄连泡进剩下的半瓶里去，趁着黄连还没有融化，一口吞下，看看结果若何。这一次很快得到证明，没有融化的黄连之苦，还是可以忍受的。

把这个试验一步步说出来，真是无聊至极。不过，它也让我体会到，即使你一生中一定会邂逅黄连，比如生活强有力地非要赐予你极困窘的境遇，比如你遭逢危及生命的重患必得要用黄连解救，比如……你都可以毫无惧色地吞咽黄连。毕竟，黄连是一味良药啊！只是，千万不要人为地将黄连碾

碎，再细细品尝，敝帚自珍地长久回味。太多的人习惯珍藏苦难，甚至以此自傲和自虐，这种对苦难的持久迷恋和品尝，会毒化你的感官，会损伤你对美好生活的精细体察，还会让你歧视没有经受过苦难的人。这些就是苦难的副作用。苦的力量比甜的力量要强大得多，不要把黄连碾碎，不要让它嵌入我们的生活。

只要你认真寻找，幸福比比皆是。幸福不是一种颜色，也不是七种颜色，甚至也不是一百种颜色……幸福比所有这些相加还要多，幸福是无限的。

02.

研究真诚

文集〈一〉　毕淑敏

过了国庆，过了中秋节，心理学研究生班课堂，大家有一种久别重逢的亲切感，掺着节后的倦怠。

老师让大家谈谈过节的感受。冷了一会儿场，不知道大家是怎么想的，我的感觉是很突兀。我们习惯于默默无闻地过节，被人猛地一问，有些不知所措。

零星有人举手，大概是怕老师尴尬吧。先回答的人，都说节无新意，有的简直可以说在叹息——过节就是过节呗，和以往的节没啥不同的……节很累，系上围裙炒菜，解了围裙洗衣，节是给别人过的。

老师微笑说："'节是谁的'这话倒是很有点意思的，留待我们以后再详加讨论，我们还是说这个节日吧。我有些奇怪的是，大陆为什么中秋节不放假[1]呢？在华人世界，这是一个仅次于春节的大节日啊！节日要过得有趣才有纪念意义。比如我认识的一家人，过节也不给小孩子买新衣服，也不吃好东西，这样的节日真是过不过的没什么差别了。"

大家就笑起来。

一笑，气氛就活跃些了，有同学小声说："过节我回家了，可是在家里待着，好像没有在同学们之间舒服。"

这话引起了一些人心底的共鸣。因为在这个班级里，充满了温暖的气氛，但外面的世界依旧沿着落满灰尘的轨道盘旋，于是我们成了在两个世界间游走的贝壳，冷暖自知，难以言说。

今天的正课是研究"真诚"。这是一个古老的话题了，但近年来受到了大挑战，"真诚"成了"愚蠢"的代名词。

我个人很喜欢"真诚"这个词，喜欢它的光明和干净。

词是有自己的属性的，比如"猥琐"一词，你一看到它，就觉得自己身上发霉、糊满蟑螂。"甜蜜"这个词则让人好似被蜂王浆噎了一嗓子，甜得憋气。"真诚"有一种岩石般的纹理和坚定，不风化，不流失，不油腻，爽洁清晰，反射着钢蓝色的

(1) 从2007年开始我国中秋节作为法定假日，2008年正式实施。

金属光泽。

　　焦点集中在——真诚是一种方式还是一种境界？真诚有没有层次的分别？

　　有同学问了老师一个极富挑战性的问题——您是很真诚的，但有没有人说过您虚伪？在当代大学生里，好像流行着一种说法，真诚是一种更狡猾的虚伪。

　　课堂内一时很寂静。我看到老师的眸子快速向右上方移动，知道她在郑重思考。片刻之后，老师说："没有，没有人说过我虚伪。起码是当面没有人这样说。至于背后是怎样说的，我不知道。它不在我的关心范围之内。"

　　老师启发道："一个小孩子，对一个成人说，你身上真臭啊。然后又对别人说，那个阿姨身上有一种臭味。这事真不真呢？肯定是真的，但这是一种低级水平的真诚。真诚是有讲究的。"

　　我举手，获准后发言。我说，我喜爱真诚。我的很多朋友也这样评价我。很多人用他们自己的视角来看世界，以为凡是真诚的人就无法幸福地生活，必然会被世俗的车轮碾得粉身碎骨，即使不粉碎也遍体鳞伤，甚至顺水推舟，演变成因为你事业成功和家庭完整，又有良好的人际关系，所以你必然是虚伪的。

　　我以为，真诚是一种勇敢坦诚的生活态度，它是我们思想和行动的出发点和归宿。真诚不虚张声势、狐假虎威。它似乎因清澈透明而软弱无力，但它其实是强韧而富有弹性的，使我们简洁明快、干爽清正。

　　真诚是一门艺术，有一个执行的秩序，这就是真善美。真诚可以分解为真实和坦诚，它本身是很有力量的，起码比虚伪有力量，不怕对证盘查，经得起推敲和考验……

　　但仅仅有真实是很不够的。真实的出发点可以是完全不考虑他人的感受、不看全局、不从长远出发，单纯的真实使用不当，会具有事与愿违的杀伤力。加上了"善"这个缰绳，真就升华了，不再是本真，而有了一种更全面更伟大的品格。至于"美"，我觉得是怎样更精彩地表达我们的真实。一种长袖善舞，一种大象无形……

　　教室内一时鸦雀无声。我从这种寂静中，感到声援和赞成。

　　老师总结道："真诚是有层次的，可以分成建设性的和破坏性的两种。愿每个人从此都更多更丰富地向这个并不美好的世界，贡献我们建设性的真诚。"

03.
感动是一种能力

　　"感动"在词典上的意思是"思想感情受外界事物的影响而激动，引得同情或向慕"。虽然我对这本词典抱有崇高的敬意，依然认为这种说法不够精准，甚至有点词不达意。难道感动如此狭窄，只能将我们引向同情或是向慕的小道吗？这对感动来说，似乎不全面、不公平吧？感动的含义比这要丰饶得多、辽阔得多、深邃得多啊。

　　"感动"最望文生义、最直接的解释就是感情动起来了。你的眼睛会蒸腾出温热的霞光，你的听觉会察觉远古的微响，你的内心像有一只毛茸茸的小松鼠越过，它纤细而奔跑的影子惊扰了你，思维的树叶久久还在摇曳，你的手会不由自主地出汗，好像无意中捡到了天堂的房卡，你的足弓会轻轻地弹起，似乎想如赤脚的祖先一般奔跑在高原……

感动的来源是我们的感官，眼耳鼻舌身加上触觉和压觉。如果封闭了我们的感官就戮杀了感动的根，当然也就看不到感动的芽和感动的果了。感官是一群懒惰的小精灵，同样的事物经历得多了，感官就麻痹松懈了。现代社会五光十色，瞬息万变，感官更像被塞进太多脂肪的孩子，变得厌食和疲沓。如今人渐渐丧失了感动的能力，感动闪现的时间越来越短，感动扩散的涟漪越来越淡。因为稀缺，感动变成了奢侈品。很多人无法享受感动，于是他们反过来讥讽感动，嘲笑感动，把感动和理性对立起来，将感动打入盲目和幼稚的泥沼之中。

感动是一种幸福，在物欲横流的尘垢中，顽强闪现着钻石般的瑰彩。当我们为古树下的一株小草绝不自惭形秽、而是昂首挺胸成长而感动的时刻，其实我们想到的是人的尊严。我上小学的时候，在一次考试中，得到了有生以来最差的分数。万念俱灰之时，我看到一只蜘蛛锲而不舍地在织补它残破的网。它已经失败了三次，一次是因为风，一次是因为比它凶猛百倍的鸟，第三次是因为我的恶作剧。蜘蛛把破坏者感动了，风改了道，鸟儿不再飞过，我把百无聊赖的手握成了拳。我知道自己可以如同它那样，用努力和坚忍弥补天灾人祸，重新纺出梦想。我也曾在藏北雪原仰望浩渺星空而泪流满面，一种博大的感动类似天毯，自九天而下裹挟全身。银河如此浩瀚，在我浅淡生命之前无数年代，它们就已存在，在我生命之后无数年代，它们也依然存在。那么，我的存在又有什么意义呢？在这个惶然的瞬间，我被存在而感动，决心要对得起这稍纵即逝的生命。

我喜欢常常感动的女人，不论那感动我们的起因，是一瓣花还是一滴水，是一个笑颜还是一缕白发，是一本举足轻重的证书还是只言片语的旧笺……引发感动的导火索，也许不胜枚举，可以有形，也可以是无所不在的氛围和若隐若现的天籁。感动可以有着任何颜色的羽毛，在清晨或是深夜，不打招呼就进入心灵的客厅，在那里和我们的灵魂倾谈。

珍惜我们的感动，就是珍惜了生命的零件。在感动中我们耳濡目染，不由自主地逼近那些曾经感动过我们的灵魂。也许有一天，我们也在无意间成了感动的小小源头，它淙淙地流向了另一双渴望感动的眼眸。

04.

对自己诚实一点

文集〉 毕淑敏

当你企图在两个不同的自我之间游走时，你在生活中的形象就变得复杂混乱，你面临的形势也更加琢磨不透，甚至你的身体也无所适从了。

我们总是希图表现得比我们实际的情况要好一些。

好比我们小的时候，如果有客人要来，我们会被父母要求："你要乖一些啊！"等到客人走了，父母会说："好了，现在你可以放松一下了。"这些都是很平常的话，却在不知不觉中给我们留存了一个印象——你要在某些特殊的场合和人物面前，努力表现得比你实际拥有的状况更好。

什么是更好呢？

就是按照世俗的标准，我们要更聪明、更好

学、更勤劳、更大度、更幽默、更有责任感、更勇敢、更……还可以举出更多的"更"。总之，是比你本人更完美。

这个主观动机可能并不是太坏。爱美之心，人皆有之嘛！

不过，这就形成了一个习惯。我们把一个不真实的自我呈现在别人面前，并以为这才是可爱的，才是有价值的。而那个真实的自我，则是上不得台面的残次品，是应该被掩藏和遮盖的。

这就是自我形象的分裂。我们不喜欢真实的自我，我们把一个乔装打扮的"假我"拿给大家看。当这个"假我"被人欢迎和夸赞的时候，我们一方面沾沾自喜，觉得自己成功地扮演了一个角色，而这个角色就是别人眼中的"我"。另外一方面，我们的自卑加重了，我们知道外界的评价都是给予那个不存在的"我"，真实的我反倒像灰姑娘一样，躲在角落里捡煤渣。

长久下去，我们就变成了一个分裂的人。

这种现象，比比皆是。比如我们常常听到女性朋友说，结婚以后，他的真面目暴露出来了，我几乎不敢相信他和结婚前是同一个人。

也有的领导会说，这个人是我招聘的，当时看他十分勤快，想不到真的走上岗位以后，却非常懒惰，毫无工作的主动性。

以上这两个例子，最后是以离婚和炒鱿鱼作结。可见，伪装的自我，可以骗人一时，却不能矫饰久远，最后吃亏的还是你。

如果你觉得真实的自我还不够完善，那么最好的方法，是让自己渐渐变得完善起来，而不是敷衍、遮盖或欺骗。那样的话，自己很辛苦不说，离完美是越来越远。再有，天下的人都不是傻子，你装得了一时三刻，却没有法子永远生活在一个不属于你的光环中。一旦被人家识破，你被减分更多。

我年轻的时候，心其实很累。因为总想表现得比自己真实的状态更好一些，便不由自主地要作假。明明不快乐，怕被人看出，以为是思想问题，就表现出欢天喜地的兴奋。对领导有意见，怕领导对自己看法不良，影响进步，就故意在领导面前格外卖力地工作。其实，那彼此的不融洽，大家心知肚明。在会议上有不同意见，因为判断出自己是少数，就放弃主见随大流，默不作声……凡此种种，以为是老练的举措，都让我做人辛苦，不胜其烦。

后来，终于明白了，要以自己的真实面目示人。没有必要取悦他人，没有必要委屈自己。这样做了以后，我本以为机会一定要少很多，因为抱定了破釜沉舟的决心，只求这一生做一个真实的自我，付出代价也认了。不想，却多了朋友，多了机缘。

　　思来想去，原来大家都更喜欢真实的东西。你真实了，自己安全了，也让他人觉得安全，机遇反倒萌生。从此，竭力真实。不但自己省力、省心，节省出的能量可以做更多的事情，而且成功的概率也高了起来。

有年轻人问，对生活，你有没有产生过厌倦的情绪？

说心里话，我是一个从本质上对生命持悲观态度的人，但对生活，基本上没产生过厌倦情绪。这好像是矛盾的两极，骨子里其实相通。也许因为青年时代，在对世界的感知还混混沌沌的时候，我就毫无准备地抵达了海拔五千米的藏北高原。猝不及防中，灵魂经历了大的恐惧、大的悲哀。平定之后，也就有了对一般厌倦的定力。面对穷凶极恶的高寒缺氧、无穷无尽的冰川雪岭，你无法抗拒人是多么渺小、生命是多么孤单这副铁枷。你有一千种可能性会死，比如雪崩，比如坠崖，比如高原肺水肿，比如急性心力衰竭，比如战死疆场，比如车祸枪伤……但你却在苦难的夹缝当中，仍然完整地活着。而且，只要你不打算立即结束自己，就得继续活下去。愁云惨淡畏畏缩缩的是活，昂扬快乐兴致勃勃的也是活。我盘算了一下，权衡利弊，觉得还是取后种活法比较适宜。不单是自我感觉稍愉快，而且让他人（起码是父母）也较为安宁。就像得过了剧烈的水痘，对类似的疾病就有了抗体，从那以后，一般的颓丧就无法击倒我了。我明白日常生活的核心，其实是如何善待每人仅此一次的生命。如果你珍惜生命，就不必因为小的苦恼而厌倦生活。因为泥沙俱下并不完美的生活，正是组成宝贵生命的原材料。

他又问，你对自己的才能有没有过怀疑或是绝望？

我是一个"泛才能论"者，即认为每个人都必有自己独特的才能，赞成李白所说的"天生我材必有用"。只是这才能到底是什么，没人事先向我们交底，大家都蒙在鼓里。本人不一定清楚，家人朋友也未必明晰，全靠仔细寻找加上运气。有的人可能一下子就找到了；有的人费时一世一生；还有的人，干脆终生在暗中摸索，不得所终。飞速发展的现代科技，为我们提供了越来越多施展才能的领域。例如，爱好音乐，爱好写作……都是比较传统的项目，热爱电脑，热爱基因工程……则是近若干年才开发出来的新领域。有时想，擅长操纵计算机的才能，以前必定悄悄存在着，但世上没这物件时，具有此类本领潜质的人，只好委屈地干着别的行当。他若是去学画画，技巧不一定高，就痛苦万分，觉得自己不成才。比尔·盖茨先生若是生长在唐朝，整个就算瞎了一代英雄。所以，寻找才能是一项相当艰巨重大的工程，切莫等闲视之。

人们通常把爱好当作才能，一般说来，两相符合的概率很高，但并不像克隆羊那样惟妙惟肖。爱好这个东西，有时候很能迷惑人。一门心思凭它引路，也会害人不浅。有时你爱的恰好是你所不具备特长的东西，就像病人热爱健康、矮个儿渴望长高一样。因为不具备，所以，就更爱得痴迷，九死不悔。我判断人对自己的才能，产生深度的怀疑以至绝望，多半产生于这种"爱好不当"的漩涡之中。因此，在大的怀疑和绝望之前，不妨先静下心来，冷静客观地分析一下，考察一下自己的才能，真正投影于何方。评估关头，最好先安稳地睡一觉，半夜时分醒来，万籁俱寂时，摈弃世俗和金钱的阴影，纯粹从人的天性出发，充满快乐地想一想。

为什么一定要强调充满快乐地去想呢？我以为，真正令才能充分发育的土壤，应该同时是我们分泌快乐的源泉。

他的最后一个问题是，你是怎样度过人生的低潮期的？

安静地等待。好好睡觉，像一只冬眠的熊。锻炼身体，坚信无论是承受更深的低潮或是迎接高潮，好的体魄都用得着。和知心的朋友谈天，基本上不发牢骚，主要是回忆快乐的时光。多读书，看一些传记。一来增长知识，顺带还可瞧瞧别人倒霉的时候是怎么挺过去的。趁机做家务，把平时忙碌顾不上的活儿都抓紧此时干完。

抑郁的源头

　　每个人都是这样密切地与他人相关，所以当彼此的关系断裂时，才显出空旷无助的凄楚。断裂的原因，可能是误解、背叛、欺瞒、争吵、鄙视……死亡当然是最彻底的断裂了。生命是一根链条，其中一环断了怎么办？唯一的方法是把链条再接起来。这是需要花工夫动脑子的事情。

　　看过一个熟练的布厂女工表演棉条的连接。棉条断了，每一根棉丝都断了，如同一根雪白的冰棒被截断。女工把需要吻合的两根棉条对接，展开，让每一根棉丝都找到连接的位置，然后轻轻地捻动，让它们在旋转中融为一体。接好了，抻拽一番，融合得天衣无缝。

　　这个过程形象地说明了建立新关系的步骤。找到新的位置，然后从容不迫地连接，新的关系就慢慢建立起来了。

世界上的事，简言之，都是关系使然。人的全部活动，就是三种无法逃避的关系。

第一重，是人和自然的关系。人类是自然之子。没有自然，就没有了人所依附的一切。大自然的伟力，在城市里的人，不大容易体会得到。你到空旷的山野和广袤的沙漠中，你置身于晴朗的夜空之下，你在雪山顶端和海洋中央之时，比较容易找到人类应该待着的位置。

第二重关系，是人和自我的关系。你离不开你自己。只要你活一天，你就和自己密不可分。就算是你的肉身寂灭了，你依然和自己的精神痕迹紧紧地贴附在一起，无法分离。

第三重关系，就是人和他人的关系。纵观世界上无数的悲欢离合、潮起潮落，无非就是在这重关系上的跌宕起伏。人是被称为"人群"的，人不是单独的个体，而是人以群分。

这三重关系，无论哪一重发生了断裂，都是噩耗。我们是相互联结的，没有哪一部分的震荡，其他部分可以幸免。所以，海明威说，不要问丧钟为谁而鸣，丧钟为你而鸣。

人永远不要割断自己同他人的联系，不要割断

同祖国的联系，不要割断同祖先的联系，不要割断同亲人的联系，不要割断同工作的联系，不要割断同历史的联系，不要割断同文化的联系……正是这重重联系，像斜拉桥的绳索一样，托举着你成为你。

如果桥梁的绳索断了，谁都知道要在第一时间将它修复。但是，人的关联的绳索断了，一时半会儿好像看不出非常严重的后果。你还是你，可以按时上班，可以听音乐和下饭馆，可以聊天和静思。但是，且慢，时间长了，是一定要出岔子的。很多的抑郁症就是这样悄无声息地发生了。我曾经听过一位美国心理学家讲述治疗抑郁症的新疗法，他很决绝地说，世界上所有的抑郁症，都是在关系上出了问题。

真是这样的吗？

你可以不信，但可以好好想一想。

什么是不确定性呢？

当然可以顾名思义。也许因为当医生出身，总是觉得这类专有名词有它固定的家族史，还是先追溯渊源、验明正身再来讨论斟酌，相对稳妥些。

在书上查到了对不确定性原理的解释。

光的含能量的量子称为光子，光子含有的能量极为微小。在日常生活里，这些微小的光子对周遭的世界好像没有什么特别的影响。但当科学家开始研究原子世界时，情况便大大不同了。原子里的粒子都是极细小的东西，比如说电子，大约十亿个十亿乘十亿的电子才有一根羽毛的重量。由于这些物质粒子是极细小的东西，如果它们被光子打中，它们会被打得偏离轨道，运动的速度也会改变。

电子很轻，它抵抗不住光子的撞击，电子就从原来的位置被撞了出去。在观察的那一瞬间，电子便被震荡，运行速度发生变化，因此转眼间又不知那电子在哪儿了，这就是著名的"不确定性原理"（Uncertainty Principle）。这定理不允许我们同时测量电子的位置又测量其速度。不能同时知道这两样数据，我们就无法预言粒子的运行轨道，或者说它是否有一个确定的运行轨道也无法知道。

这个理论如此奇特并难以想象，教人困惑。它摧毁了经典世界的因果性，摧毁了客观性和实在性。从它面世，近八十年来没有一天不受到来自各方面的质疑、指责、攻击。

我不知道这个量子力学中的经典理论和我们今天在社会生活中要谈论的不确定性有多少传承的血缘关系。抑或前者是曾祖，后者只是它的远房重孙，虽然有着割舍不断的亲缘关系，相貌上已经糅入了更多的异族之血？

如果就社会生活"不确定性"的字面含义来说，顾名思义就是这个世界有些乱套，以往的某些顺理成章的事情被颠覆，人们对自己的将来失去了把握，陷入迷茫和焦虑之中。我们会听到对一件事物比如房价的截然相反的假说，正方、反方的领军人物都赫赫有名，让我们洗耳恭听并待时间检验之后心生愤懑。某一方既然一而再、再而三地说不准，怎么还好意思在电视屏幕或报纸专栏中一如既往地口若悬河？然而腹诽或口诛之后，我们依然会守在那里等着他们继续夸夸其谈。我们既苛刻又宽容，因为面对着"不确定"的世界，越是陷入不可把握的泥潭，就越想知道他人面对"不确定"的确定看法。我们在怪圈中骑一匹跛脚的瞎马，头晕眼花依然沿着惯性旋转。再比如我们面对婚礼上的一对玉人抛洒尽了人间的祝福，但起码有一半以上的来宾对他们能否白头偕老疑窦丛生。古语说"三岁看老"，人们都预言邻居家的孩子没有出息，因为他自小说谎并且好吃懒做、偷鸡摸狗，不想他在几年牢狱之灾后居然做起了买卖，如今也成了人五人六的"中产阶级"；而对门勤劳的大叔吃起了城市低保，过春节的时候眼巴巴地等着送温暖的社区干部带来一桶大豆油……

然而无论前途多么诡谲难测，祝福还是要发，期望还是要有。

因为我们还有救。即使在量子力学的理论当中，也要强调当样本数量变得非常非常大时，概率就有用武之地了。

还拿电子来说事吧。电视的后面有一把电子枪，不断地逐行把电子打到屏幕上形成画面。对

单个电子来说，人们不知道它将出现在屏幕上的哪个点，只有概率而已。不过大量电子叠加在一起，就可以组成稳定的画面了。再如保险公司没法预测一个客户会在什么时候死去，但它对一个城市的总体死亡率是清楚的，所以保险公司经营得当一定赚钱。

那些关于人类美德的基石，就是我们社会生活的概率了。还有时间的金色砝码，也是社会生活的概率了。"不确定性"指的是微观世界，越是瞬息万变的节奏，越是小的偶然性越不可预测。但量子力学的理论并不等于"放之四海而皆准"的真理，大的宏观世界就是一个概率的组合，存在着可以预测的规律，轨道就是秩序。一个奸商可以得逞于一时，却不可以牟利于久远，因为"不怕人比人，就怕货比货"。一个从牢狱大墙出来的人，不是不可能成功，但那一定是痛改前非的结果，而不是重蹈覆辙。时间本身就是甄别泥沙俱下的不确定性的最好的明矾，只是它还需要配合。

配合时间的是人们的耐心。不是一般的耐心，而是非凡的忍耐。就像电子在"布朗运动"之后排列出清晰的电视图案，这需要安静地等待。具体谈到房价是涨还是落这样的问题，怕是要先搞清要投资还是要自住。如果是投资，那就有风险，你就要独立做出对未来房价趋势走向的判断，然后为了这个判断去冒折戟沉沙的风险。不要把责任推给他人和量子，那虽然便捷却是变相的懦弱。如果一切都月朗风清、确定无误，也就消磨了机智和决断，也就荡平了投机和暴利。说到婚姻的长久与和美，只要你在这之前已经做了充分考察和准备，那就义无反顾、一往无前地走入"围城"。婚姻的双方本来就是家庭的毛坯，还需岁月长久的打磨，才能渐趋完美和谐。它的稳固和人性的完整程度呈密切的正相关，和量子力学倒是隔着万水千山。

人虽然是微小的生灵，但和没有知觉没有主观能动性的电子之类还是截然不同的。和它们相比，人毫无疑义是宏观的。人的目标是宏观的，人的

努力是宏观的，人和人的集合体更是一个伟大的宏观。从人类的历史来看，不确定是暂时的，确定才是长久的。我不能确定我哪一天会死，但我可以确定活着的每一天都饶有兴趣地度过。我不能确定我的婚姻一定幸福，但我可以确定自己的诚恳和投入。我不能确定这篇关于不确定的小文是否有趣，但可以确定我已经用心用力。

08

在火焰中思索

毕淑敏
文集
〈一〉

　　火焰中，不是一个思索的好地方。思索通常发生在静谧安宁的场合，当事人一般是舒缓放松的。即使脑海内波涛翻滚，外在的神情也必是收敛和沉着的。如果一个人大喊大叫，或是高速奔跑，或是披荆斩棘，都和稳健的思考有着相当的距离。在那种时刻，即使有所想法，也是简单的和直线式的。

　　俗话说，水火无情。但我想水中好像还是一个比火中适宜进行思考的场所。水是细腻的，只要不是沸水和冰水，它在短时间内给人的感受还是柔软的。有很多落难水中的人，在经过了数小时、数十小时的搏击之后依然获救，我想，同他们在水中进行了周密的思考和决策有关，也同水的特性有关。我听过一位在台风的沉船中偶然获救的船员说，他

在水中一次又一次地分析海浪的方向，直到当一股
最大的风浪打来的时候，他憋足气沉入其中，被那
股浪推到了浅滩。

火，则要穷凶极恶得多。除去炉子和烧杯，这
些被人所控的微火之外，所有的大面积的肆无忌惮
的火都是灼热和暴烈的，都是狠毒和惨绝人寰的。
那些貌似轻快无邪的火舌，喷溅着巨大的毒汁。想
想吧，灼伤我们宝贵的瞳孔，只需要一粒小小的火
星；将我们跳跃的双脚变成焦炭，只需要在滚烫的
废墟中穿行几步。在火中，你还得永远提防着火焰
最阴险的助手——滚滚的浓烟。也许你还没来得及
和火焰正面交锋，烟尘就已将你温润的肺炙成边沿
卷曲的铁板了。火中还潜伏着置人于死地的爆炸、
有毒的气体、崩塌的重物、坍塌的建筑……

如果火中仅仅存有这些恐怖的东西，事情也就
简单明了——用所有极端的手段扑灭它。但是，火
中往往还存在着价值连城的宝藏，还存在着比这些
宝藏更贵重千万倍的生命。

于是，有了救火者在火中的思考。

在那重重的金色孽龙的狂舞之中，我不知道救
火者将思索些什么，那是怎样一种生命的极端困
境，那是怎样一种职责的神圣抉择。

也许，救火者将思考自己的生命和他人的生命

孰轻孰重？这个问题可能已经在平和的时段思索过无数遍了。但我相信，在火中，这种思考还将无数遍严酷地进行着。火焰凸现着生死的决裂，救火者，你将向何处倾斜你的天平？

也许，救火者将思索在地狱般的火海中，采用怎样的路线和方式才可达到最大限度、最快速度地救人。火场瞬息万变，形势间不容发。火中的思考将是对人的心智和决断的极大考验。我不知世上还有什么考场能比它更严苛。

也许救火者将感受到皮肤的灼痛、毛发的焚毁、骨骼的重压、呼吸的窒息……思索到用肉体去殉道德和责任的坚忍与苦难。我不知道在漫天的火阵中，有多少人勇往直前了，有多少人退缩了？但人们会永远牢记这一行业中的英烈——因为它是大智大勇者的事业，它要求人类自我战胜和精神的超越。

火焰中的思索是短暂的，也是长久的；是庄严的，也是平凡的；是神圣的，也是家常便饭。因为选择了这个职业，也就选择了这种惊世骇俗的思维之地。那个通红的片刻，将鉴定你的一生。

09

孤独是一种兽性

文集〈毕淑敏〉

　　孤独这两个字，从它的偏旁与字形，一眼望去就让人想起动物世界。看来我们聪明的祖先造字的时候，就已洞察它的真髓。

　　很低等的动物，多半是合群的。比如海洋里庞大的虾群，丛林中的白蚁，都是数目庞大的聚合体。随着物种渐渐进化，孤独才悄然而至。清高的老虎、高傲的鹰隼、狡猾的狐狸、威猛的狮子，你见过成群结伙浩浩荡荡组织起来的吗？

　　等进化到了人，事情才又复杂了。人类为了各种利益，重新集结在一起。比如上千万人的城市，至今还在膨胀之中，从事某一行业的人摩肩接踵地挤在一起，房屋盖得像毒蘑菇一般紧密，公共汽车拥挤成血肉长城……

　　在这种情况下，人回忆孤独、渴望孤独而不

得，便沉浸于寻找与回味的痛苦。

孤独是一种源于兽的洁癖和勇敢。高雅的人在说到孤独时，以为那是人类的特殊情感，其实不过是返祖之一斑。

孤独是某个生命个体独立地面对大自然的交流。自然是永恒而沉默的，只有深入它的怀抱，在万籁寂静之时，你才能感觉到它轻如发丝的震颤。

寻共鸣易，寻孤独难。因为共同的利害，无数人紧紧拴在一起，利至则同喜，利失则同悲。比如股票市场，哪里有孤独插翅的缝隙？

高官厚禄、纸醉金迷、霓裳羽衣、巧笑倩兮……都需要有人崇拜，有人喝彩，有人钟情……假若孤独着，一切岂不似沙上建塔？

这些人也经常谈论孤独。但他们说出"孤独"这个字眼的时候，表达的不过是一种利益不够辉煌的愤懑，和洁净凉爽无欲无求的孤独感大不相干。

人是软弱的动物，因为恐惧才拥挤一处，以为借此可以抵挡从天而降的风雷。即使无法抵御，因为目睹同类也遭此厄运，私心里也可生出最后的快慰。

孤独是属于兽的一种珍贵属性，表达一种独往独来的自信与勇猛，在人满为患的地球上，它已经越来越稀少了。

也许有一天，人性终于消灭了兽性，孤独就像最后一只恐龙，也会销声匿迹。

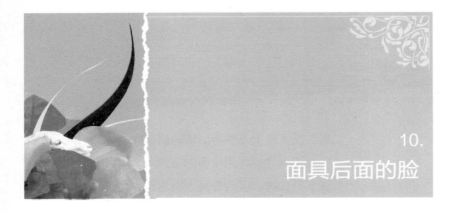

10.
面具后面的脸

文集（一）

　　参观新墨西哥州乔治亚·奥基弗博物馆附设的女子艺术辅导学校。乔治亚·奥基弗是美国最杰出的女画家之一，她的那幅"头骨和白玫瑰"表达着经典的凄美和让人战栗的死亡体验。在她去世后，博物馆遵照她的遗嘱开办了女子艺术辅导学校。

　　指导教师杰茜娅白发黑衣，举止卓尔不群，目光熠熠生辉。一句话，开门见山。她说："我们开设的艺术指导课程，不仅仅是指导艺术，更是指导人的全面发展。比如，根据哈佛大学的研究，经过艺术训练的女生，她们的领导才能就有所加强。"

　　我很感兴趣，问："这是为什么？艺术和领导，通常好像是不搭界的。"

　　杰茜娅说："艺术让人的大脑全面发展，增强

人的自信心。特别是女孩子，她们的艺术才能往往
是比较突出的。如果受到重视，得到相应的训练，
她们就会发现自己是有价值的。如果她们的艺术作
品出色，就会不断地获奖。这样，她们就有了成功
的经验。对一个孩子来说，什么最重要呢？就是有
成功的经验，感觉到自己的价值。在正常的学校
里，让孩子能有成功经验的机会并不是很多的。学
习文法和数理化，是很枯燥的过程，很多孩子不适
应。只有少数孩子能在常规的学习中感受到乐趣和
成就感，大多数孩子会觉得自己不够聪明。可以这
样说，常规的学习过程，给予孩子们失败的经验比
较多。但是，学习艺术就不是这样了。首先我们相
信一个大前提，那就是每一个孩子都必定有所长，
它们冬眠着、潜伏着，等待人们的挖掘。不存在
'有没有'的问题，是'一定有'，只是需要发
现。再者，艺术允许广阔的想象，没有统一的标
准，关于成功的概念也是更为开放和宽松的。而
且，孩子和成人谁离艺术的真谛更近一些呢？是孩
子，她们对世界有直觉的把握，在创作的同时也更
清晰地感觉到了真实的世界。她们在艺术中学习，
这种成功的经验会蔓延开来，延展到她们生活的各
个领域。"

　　这一番话，颇有醍醐灌顶之感。当我们的某

些父母只是把艺术作为一种训练、一种特长，甚至当成一块高考就业的"敲门砖"的时候，杰茜娅她们已经巧妙地把它变成了赋予孩子最初成功体验的阶梯。

是啊，有什么比一个人，特别是一个孩子的体验和记忆更重要、更珍贵呢？回想我们的一生，所以会有种种命运，虽不敢说全部，但其中偌大一部分是源自我们童年经验的烙印。"精神分析派"的师长甚至不无悲观地说，每个人一生将要上演的脚本都已在我们六岁前的经历中秘密写定。如此说来，谁能改变一个孩子的童年体验，谁就能改变他眼中的世界和他人生的蓝图。

人的记忆是非常奇怪的东西。我们希望它记住的东西，它虚与委蛇，给你一个过眼云烟；我们希望它遗忘的东西，它执拗着，死心塌地铭记。记忆的钢钉就这样不由分说地楔入灵魂最软弱的地方，却从那里发布一道道指令，陪伴你到永远。背负无法选择的记忆，挺进在人生的曲径上。记忆是有魔法的，它轻而易举地决定着我们的好恶，指导着我们的行动，规定着我们的决策，甚至操纵着我们的生涯……

中国有句俗话，叫作"三岁看老"，看来和弗洛伊德老先生的学说有异曲同工之妙。这话有前瞻之明，但也有掩饰不住的悲观和宿命。三岁之前，孩子在无知无识中酿出了怎样咸苦的卤水，让他的一生决定于此？或者反过来说，面对着一个孩子，成人世界有什么力量可以润物细无声地沁入思维的草地，从此染绿他一生的春秋？

杰茜娅女士的话正是在这个微妙的层面给我启迪和震撼。如果说教育是一种外在的渗透，那么，让孩子们深入艺术的创造之中去，就生出了内在的事半功倍的奇效。让蛰伏内心的翅膀舒展开来，让成功的霞光照亮漆黑的眸子，让最初的成功烙在心扉的玄关……童年的珍藏就会在漫长的岁月发酵，香飘一路。

面对着这样的理论和尝试，我肃然起敬。

我说："你这里走出多少艺术家？"

杰茜娅说："我从来没有统计过。"

我说："哦，她们还小。艺术的成功要很多年后才见分晓。我知道现在谈这些，一切都为时过早。"

杰茜娅说："不仅因为统计操作上的困难。开办这所学校并不是为了从小培养出几个艺术的天才，而是为了更多的孩子生活中多一些阳光和快乐，发展健全的人格。我把孩子们的艺术品都保存了起来。其实，对于她们来说，这些并不是艺术，是另外一种心灵的表达。她们并不是为了

成为艺术家才进行创造的，她们把艺术当成了心
灵的一部分。但是，这不正是艺术最原始、最根
本的标志吗？"

我说："能否让我看看孩子们的艺术创造？"

杰茜娅说："好吧，请跟我来，在仓库里。"

那一天是休息日，宽敞的校舍里没有一个
人。我走在寂静的走廊，忽然生出心灵探险的感
觉。想象不出我将看到的是怎样的作品，但我确
知那是一扇扇年轻的珠贝分泌出的珍珠，不论它
们圆还是不圆。

杰茜娅捧出一摞石膏面具。我说："这是什
么？"

杰茜娅说，这是我们做过的一次练习，题目是
《面具后面的脸》。

我说："这个题目很有意思啊。"

杰茜娅说："是这样的。孩子们渐渐长大的过程，也就是她们对成人世界渐渐认识的过程。她们脱去了最初的纯真，学会戴上了面具，没有面具是不可能和不现实的。但是，人不能总在面具后面生活，特别是人对自己的面具要有清醒的认识，要知道哪些是面具，哪些是真实的自我。明白自己的面具是怎么来的，如果有可能，要将面具减到最少。要使真我和面具尽可能地统一起来。总之，就是对面具有一个明白的认识和把握，不能让面具主宰一切。"

很深刻，也很玄妙。我说："能让我看一个具体的孩子的创作吗？"

杰茜娅说："好啊。"说完，她就从一摞面具中挑选出了一个递给我。

这是一个美丽的面具。石膏模型的正面是如花的笑脸，挑起的眉梢，长而上翘的睫毛，桃色的腮和银粉的唇，各种色彩涂得很到位、很和谐，甚至可以说是性感的。

我说："很美。"

杰茜娅说："是啊。这个女生的名字我不告诉你，就叫她安娜吧。安娜在人前就是这个样子，可是你看看面具的后面。"

我把面具翻了过来。在面具的凹面中，填满了石子和羽毛。石子是尖锐和粗糙的，棱角分明；羽毛肮脏残破，绝非常见的蓬松，支支像劣质的鹅毛笔，横七竖八地戳着；特别是在面具背后的眼眶下面，画着一串串黑色的水滴，每一滴都拖着细长的尾巴，仿佛蝌蚪正从一个黑色的湖泊源源不断地游出来……

这个没有一个字一句话的面具，如同医院做冷冻治疗的雾气，把一种彻骨的寒冷传递到我的手掌。

是的，这就是安娜的内心，她的另一张面孔、更真实的面孔。她的母亲患癌症去世了。安娜目睹了她从患病到死亡的极端痛苦的过程，这使她深受刺激。她的父亲酗酒，夜夜醉得不省人事，她只有寄居在亲戚那里。她每天都在微笑，是一个人见人爱的孩子，她生怕别人不喜欢她。如果没有这种艺术的创造和表达，大概没有人知道她的痛苦。她被压抑的内心在这种创造中得到了舒缓，也使她认识到自己的分裂和冲突。她开始调整自己，认识到母亲的去世并不是自己的过错，她并不负有让别人喜欢她的使命。她可以在人前流泪，也可以直率地表达自己，她有这个权利。

听到杰茜娅女士说到这里，我才深深地吁出了一口气。是的，你能说这不是艺术吗？不能。你能说这是简单的艺术吗？不能。孩子和艺术就这样天衣无缝地黏合在一起，艺术成了生活的一部分。这样的艺术直击心扉。

我说："还有吗？我非常喜欢你和孩子的创意。"

杰茜娅说，这里还有女孩子画的画。是命题的画，题目就叫《80岁的奶奶》。乔治亚·奥基弗说过：颜色和语言的意义是不一样的，颜色和形状比文字更能下定义。

我说："是请一位老奶奶做模特，让孩子画她吗？"

杰茜娅说："没有老奶奶做模特，或者说，模特就是她们自己。"

我说："此话怎讲？"

杰茜娅说："我要求每个孩子对着镜子，想象自己80岁时候的模样。要画得像，让别人一看就知道那是你；要画出沧桑和岁月的痕迹，还要画出你的职业和家庭对你的影响。因为这些随着年龄的增长，都会在人的相貌上体现出来。当然了，在画画之前，你要为自己写出一个小传。80岁的人不是凭空变成的，是经历了很多过程的人。你要心中有数，她到底走过了怎样的人生，你才能画好她。"

我说："真是有趣得很。您的目的是什么呢？"

杰茜娅说："除了画画的基本技巧以外，我想让女孩子知道衰老是正常的，不是可怕的。只要她们活着，就一定会变老。她们将在自己光滑的额头上画出密密的皱纹，那是岁月赠送的不可拒绝的礼物，特别是她们将要思考自己的一生怎样度过，做什么职业，成为什么样的人，包括希望建立怎样的家庭。"

我说："我明白了，孩子是在这幅画里画出自己的理想和人生。我可以看看她们的画吗？"

杰茜娅拿出了厚厚的画稿。

她飞快地翻动。于是，我看到一位位老媪，额头和嘴角都有夸张的皱纹。头发稀疏、皮肤松弛，白发苍苍、面带微笑……在这群苍老的女人画像下面，是她们各自的小传。有女滑冰运动员、女服装设计师、女汽车制造商、女医生、女律师……有一幅最有趣，一位老奶奶的膝下围着无数的孩子，我说："这位老奶奶是开幼儿园的吗？"

杰茜娅说："不是。这位女生的理想就是要生这么多的孩子。"

那一瞬我非常感动，试着想想这些画的创作过程吧。一些嫩绿的叶子，对着镜子观察着自己的脸庞，然后迅速地画下脸部的轮廓，然后就是长久的沉默。她们一笔笔地在这张青春勃发的面庞上，刀刻般地画出皱纹，每一笔都是挑战和承诺。在生命的这一头，眺望生命的那一头，万千感受聚集一心，从郁郁葱葱到黄叶遍地。

"我看见被乌云藏起的月亮，我听见在水下游泳的风，我哭泣，因为我是古堡里的蚯蚓……"杰茜娅朗诵了一首女孩子创作的诗。

"艺术不仅是技术，更是灵魂的栖息之地。"配以一个有力优雅的手势，杰茜娅结束了她的谈话。

11.
我很重要

文集 〉 毕淑敏

　　当我说出"我很重要"这句话的时候，颈项后面掠过一阵战栗。我知道这是把自己的额头裸露在弓箭之下了，心灵极容易被别人的批判洞伤。许多年来，没有人敢在光天化日之下表示自己"很重要"。我们从小受到的教育都是——"我不重要"。

　　作为一名普通士兵，与辉煌的胜利相比，我不重要。

　　作为一个单薄的个体，与浑厚的集体相比，我不重要。

　　作为一位奉献型的女性，与整个家庭相比，我不重要。

　　作为随处可见的人的一分子，与宝贵的物质相比，我们不重要。

　　我们——简明扼要地说，就是每一个单独的
"我"——到底重要还是不重要？

　　我是由无数星辰日月草木山川的精华会聚而成
的。只要计算一下我们一生吃进去多少谷物，饮下
了多少清水，才凝聚成一具美轮美奂的躯体，我们
一定会为那数字的庞大而惊讶。平日里，我们尚要
珍惜一粒米、一叶菜，难道可以对亿万粒菽粟亿万
滴甘露濡养出的万物之灵，掉以丝毫的轻心吗？

　　当我在博物馆里看到北京猿人窄小的额和前凸
的吻时，我为人类原始时期的粗糙而黯然。他们精
心打制出的石器，用今天的目光来看不过是极简单的
玩具。如今很幼小的孩童，就能熟练地操纵语言，我
们才意识到已经在进化之路上前进了多远。我们的头
颅就是一部历史，无数祖先进步的痕迹储存于脑海深
处。我们是一株亿万年苍老树干上最新萌发的绿叶，
不单属于自身，更属于土地。人类的精神之火，是连
绵不断的链条，作为精致的一环，我们否认了自身的
重要，就是推卸了一种神圣的承诺。

　　回溯我们诞生的过程，两组生命基因的嵌合，
更是充满了人所不能把握的偶然性。我们每一个个
体，都是机遇的产物。

　　常常遥想，如果是另一个男人和另一个女人，
就绝不会有今天的我……

即使是这一个男人和这一个女人，如果换了一个时辰相爱，也不会有此刻的我……

即使是这一个男人和这一个女人在这一个时辰，由于一片小小落叶或是清脆鸟啼的打搅，依然可能不会有如此的我……

一种令人怅然以至走入恐惧的想象，像雾霭一般不可避免地缓缓升起，模糊了我们的来路和去处，令人不得不断然打住思绪。

我们的生命，端坐于概率垒就的金字塔的顶端。面对大自然的鬼斧神工，我们还有权利和资格说我不重要吗？

对于我们的父母，我们永远是不可重复的孤本。无论他们有多少儿女，我们都是独特的一个。

假如我不存在了，他们就空留一份慈爱，在风中蛛丝般飘荡。

假如我生了病，他们的心就会皱缩成石块，无数次向上苍祈祷我的康复，甚至愿灾痛以十倍的烈度降临于他们自身，以换取我的平安。

我的每一滴成功，都如同经过放大镜，进入他们的瞳孔，摄入他们心底。

假如我们先他们而去，他们的白发会从日出垂到日暮，他们的泪水会使太平洋为之涨潮。面对这无法承载的亲情，我们还敢说我不重要吗？

　　我们的记忆，同自己的伴侣紧密地缠绕在一处，像两种混淆于一碟的颜色，已无法分开。你原先是黄，我原先是蓝，我们共同的颜色是绿，绿得生机勃勃，绿得苍翠欲滴。失去了妻子的男人，胸口就缺少了生死攸关的肋骨，心房裸露着，随着每一阵轻风滴血。失去了丈夫的女人，就是齐崭崭折断的琴弦，每一根都在雨夜长久地自鸣……面对相濡以沫的同道，我们忍心说我不重要吗？

　　俯对我们的孩童，我们是至高至尊的唯一。我们是他们最初的宇宙，我们是深不可测的海洋。假如我们隐去，孩子就永失淳厚无双的血缘之爱，天倾东南，地陷西北，万劫不复。盘子破裂可以粘起，童年碎了，永不复原。伤口流血了，没有母亲的手为他包扎。面临抉择，没有父亲的智慧为他谋略……面对后代，我们有胆量说我不重要吗？

与朋友相处，多年的相知，使我们仅凭一个微蹙的眉尖、一次睫毛的抖动，就可以明了对方的心情。假如我不在了，就像计算机丢失了一份不曾复制的文件，他的记忆库里留下不可填补的黑洞。夜深人静时，手指在揿了几个电话键码后，骤然停住，那一串数字再也用不着默诵了。逢年过节时，她写下一沓沓的贺卡。轮到我的地址时，她闭上眼睛……许久之后，她将一张没有地址只有姓名的贺卡填好，在无人的风口将它焚化。

相交多年的密友，就如同沙漠中的古陶，摔碎一件就少一件，再也找不到一模一样的成品。面对这般友情，我们还好意思说我不重要吗？

我很重要。

我对于我的工作我的事业，是不可或缺的主宰。我的独出心裁的创意，像鸽群一般在天空翱翔，只有我才捉得住它们的羽毛。我的设想像珍珠一般散落在海滩上，等待着我把它用金线串起。我的意志向前延伸，直到地平线消失的远方……没有人能替代我，就像我不能替代别人。我很重要。

我对自己小声说。我还不习惯嘹亮地宣布这一主张，我们在不重要中生活得太久了。我很重要。

我重复了一遍。声音放大了一点。我听到自己的心脏在这种呼唤中猛烈地跳动。我很重要。

　　我终于大声地对世界这样宣布。片刻之后，我听到山岳和江海传来回声。

　　是的，我很重要。我们每一个人都应该有勇气这样说。我们的地位可能很卑微，我们的身份可能很渺小，但这丝毫不意味着我们不重要。

　　重要并不是伟大的同义词，它是心灵对生命的允诺。

　　人们常常从成就事业的角度，断定我们是否重要。但我要说，只要我们在时刻努力着，为光明在奋斗着，我们就是无比重要地生活着。

　　让我们昂起头，对着我们这颗美丽的星球上的无数生灵，响亮地宣布——

　　我很重要。

12.
精神的三间小屋

毕淑敏
文集〔〕

面对那句——人的心灵，应该比大地、海洋和天空都更为博大的名言，自惭形秽。我们难以拥有那样雄浑的襟怀，不知累积至那种广袤，须如何积攒每一粒泥土、每一朵浪花、每一朵云霓。

甚至那句恨不能人人皆知的中国古话——宰相肚里能撑船，也让我们在敬仰之余，不知所措。也许因为我们不过是小小的草民，即便怀有效仿的渴望，也终是可望而不可即，便以位卑宽宥了自己。

两句关于人的心灵的描述，不约而同地使用了空间的概念。人的肢体活动，需要空间。人的心灵活动，也需要空间。那容心之所，该有怎样的面积和布置？

人们常常说，安居才能乐业。如今的城里人一见面，就问，你是住两居室还是三居室啊？……喔，两居室窄巴点，三居室虽说也不富余，也算小康了。

身体活动的空间是可以计量的，心灵活动的疆域，是否也可有个基本达标的数值？

有一颗大心，才盛得下喜怒，输得出力量。于是，宜选月冷风清竹木萧萧之处，为自己的精神修建三间小屋。

第一间，盛着我们的爱和恨。

对父母的尊爱，对伴侣的情爱，对子女的疼爱，对朋友的关爱，对万物的慈爱，对生命的珍爱……对丑恶的仇恨，对污浊的厌烦，对虚伪的憎恶，对卑劣的蔑视……这些复杂而对立的情感，林林总总，会将这间小屋挤得满满，间不容发。你的一生，经历过的所有悲欢离合喜怒哀乐，仿佛以木石制作的古老乐器，铺陈在精神小屋的几案上，一任岁月飘逝。在某一个金戈铁马之夜，它们会无师自通，与天地呼应，铮铮作响。假若爱比恨多，小屋就光明温暖，像一座金色池塘，有红色的鲤鱼游弋，那是你的大福气。假如恨比爱多，小屋就阴风惨惨，厉鬼出没，你的精神悲戚压抑，形销骨立。如果想重温祥和，就得净手焚香，洒扫庭除，销毁你的精神垃圾，重塑你的精神天花板，让一束圣洁的阳光，从天窗洒入。

无论一生遭受多少困厄欺诈，请依然相信人类的光明大于暗影。哪怕是只多一个百分点呢，也是希望永恒在前。所以，在布置我们的精神空间时，给爱留下足够的容量。

第二间小屋，盛放我们的事业。

一个人从二十五岁开始做工，直到六十岁退休，他要在工作岗位上度过整整三十五年的时光。按一日工作八小时，一周工作五天，每年就要为你的职业付出两千个小时。倘若一直干到退休，那就是七万个小时。在这个庞大的数字面前，相信大多数人都会始于惊骇终于沉思。假如你所从事的工作，是你的爱好，这七万个小时，将是怎样快活和充满创意的时光！假如你不喜欢它，漫长的七万个小时，足以让花容磨损日月无光，每一天都如同穿着淋湿的衬衣，如芒在背。

我不晓得一下子就找对了行业的人，能占多大比例？从大多数人谈到工作时乏味麻木的表情推算，估计这样的幸运儿不多。不要小觑了事业对精神的濡养或反之的腐蚀作用，它以深远的力度和广度，挟持着我们的精神，以成为它麾下持久的人质。

适合你的事业，不靠天赐，主要靠自我寻找。这不但是因为相宜的事业，并非像雨后白桦林的菌子一样，俯拾即是，而且因为我们对自身的认识，也是抽丝剥茧，需要水落石出的流程。你很难预知，将在十八岁还是四十岁甚至更沧桑的时分，才真正触摸到倾心的爱好。当我们太年轻的时候，因为尚无法真正独立，受种种条件的制约，那附着在事业外壳上的金钱地位，或是其他显赫的光环，也许会灼晕了我们的眼睛。当我们有了足够的定力，将事业之外的赘生物一一剥除，露出它单纯可爱的本质时，可能已耗费半生。然费时弥久，精神的小屋，也定须住进你所爱好的事业。否则，鸠占鹊巢，李代桃僵，那屋内必是鸡飞狗跳，不得安宁。

我们的事业，是我们的田野。我们背负着它，播种着，耕耘着，收获着，欣喜地走向生命的远方。规划自己的事业生涯，使事业和人生，呈现缤纷和谐相得益彰的局面，是第二间精神小屋坚固优雅的要诀。

第三间，安放我们自身。

这好像是一个怪异的说法。我们自己的精神住所，不住着自己，又住着谁呢？

可它又确是我们常常犯下的重大失误——在我们的小屋里，住着所有我们认识的人，唯独没有我们自己。我们把自己的头脑，变成他人思想汽车驰骋的高速公路，却不给自己的思维，留下一条细细的羊肠小道。我们把自己的头脑，变成搜罗最新信息网络八面来风的集装箱，却不给自己的发现，留下一个小小的储藏盒。我们说出的话，无论声音多么嘹亮，都是别的喉咙嘟囔过的。我们发表的意见，无论多么周全，都是别的手指圈画过的。我们把世界万物保管得好好，偏偏弄丢了开启自己的钥匙。在自己独居的房屋里，找不到自己曾经生存的证据。

如果真是那样，我们精神的小屋，不必等待地震和潮汐，在微风中就悄无声息地坍塌了。它纸糊的墙壁化为灰烬，白雪的顶棚变作泥泞，露水的地面成了沼泽，江米纸的窗棂破裂，露出惨淡而真实的世界。你的精神，孤独地在风雨中飘零。

三间小屋，说大不大，说小不小。非常世界，建立精神的栖息地，是智慧生灵的义务，每人都有如此的权利。我们可以不美丽，但我们健康。我们可以不伟大，但我们庄严。我们可以不完满，但我们努力。我们可以不永恒，但我们真诚。

当我们把自己的精神小屋建筑得美观结实、储物丰富之后，不妨扩大疆域，增修新舍。矗立我们的精神大厦，开拓我们的精神旷野。因为，精神的宇宙，是如此地辽阔啊。

13.

挖掘心灵第一图

　　一位睿智老人说，在每个人的心灵深处都珍藏着一幅对这个世界最初的印象图画。它储存在脑海的褶皱中，平时被繁杂的信息遮挡，好像昏睡的幽灵不理晨昏，但它无所不在地笼罩着我们，统领着每个人对世界的基本视点。好像一纸符咒，规定了我们探询世界的角度。

　　这话挺玄秘的，有点巫术的味道。我不服，挑战地问："可以当场试试吗？"

　　老人很谦和地一笑，说："一家之言。你可以信，也可以不信。"

　　我说："我恰好知道一个人的心底图像。您若说中了，我就信。"

　　老人淡然回答："行啊。"

我说："这个人啊，脑海里留下的最朦胧也最原始的图像是一片无边的荒漠，尘沙漫天、苍黄渺茫，但他周围的小环境不错，好像是一个温暖的怀抱，有袅袅的香气环绕……"

说完，我定定地看着老人，且听他如何分解。

老人缓缓地说："他的精神世界对立而单纯，沉重而简明。对世界本质的认识充满疑惧，觉得人力无法胜天；宇宙不可知；人是孤独渺小的生物，基调混沌而迷茫。但他还会快乐而努力地活着，时时感受到温情和带着暖意的希望，寻找一个光亮、安静、芬芳的所在……"

说完后，老人问我："他是这样一个人吗？"

我抑制住自己的大惊异，说："对与不对，以后我再告诉您。现在，我最想知道的就是您这种分析的基本方法，能教我一些吗？"

老人说："少许心得，不值多说。有点占卜的意味，但并不是街头的摆摊算卦。首先，你让被试者静静地躺下，拼命想早先的事。意识好比柳絮，能飞多远飞多远。回忆的触角竭力向脑仁深处钻，最后变得似睡非睡似醒非醒，一片混沌最好。让人由眼前的明明白白泡入米汤样的童年，到了再也沉不下去的时候，他的心里就会猛地浮出一幅画。让他把这幅画讲给你听，然后……"

　　老人一一道来，我全身心紧急动员，照单接收。老人说："喏，基本思路就这些，剩下的事看你的悟性了。"

　　我说："您可要'传帮带'啊。"

　　其后的一段时间，我像个居心叵测的探子，不断启发诱导各色人等，把他们脑海中留下的生命原初印象挖掘出来，一一告我，由我再转达老人。老人娓娓道出其中蕴涵的深意。至于那人真实生活中的脾气品性，老人完全不感兴趣，也绝不想知道。在他的眼里，每个人的图谱就是性格之书的目录，他不过是读出来而已。

　　开头不顺利，第一位男人所谈简陋得像撕下的小人书碎片。

　　"那幅图像嘛，好像是一个黑夜，不知是灯灭了，还是眼睛得了病，总之黑暗环绕……完了，就这些。"他干巴巴地舔舔嘴唇说。

　　他那时黑暗，我此时也黑暗。到处像泼了墨汁，如何分析？我只好拼命启发他再想深入些。搜肠刮肚半晌，他补充如下："我摸着黑，仿佛找到一碗粥，就把它喝下去了。我妈妈走过来，眼泪洒在我脸上。很凉……哦，就这些，再也没有了。"他坚决地结束了回忆。

　　真是老虎吃天啊。我沮丧地请教老人，老人

说："唔，足够了。他是个悲观主义者，一生都在寻找。他对自己终极寻找的东西究竟是什么，也闹不清楚。在这寻找的途中，他会得到温暖和利益的回报，他会很珍视亲情。但这些并不能缓解他寻找的焦虑，冲淡他与生俱来的悲哀，稀释充满他周围的茫茫黑色。"

我频频点头，最终也没有告诉老人，那是一位苦苦求索的哲学家的心底图像。反正老人并不需要他人的验证。

一个矮小的年轻人不好意思地说："我的第一图像似乎没什么好说的，支离破碎。那是我和我弟弟在抢被窝。你知道，我小的时候家里很穷，打通腿，就是两人合盖一个被筒。谁都想自己盖得暖和些，就拼命把被子朝自己身上裹……就这些，整夜抢啊抢的。穷人家的被子小，遮了这头捂不了那头。我比弟弟个儿大，总是占上风的时候多些。这就是全部了。"

老人分析："这个年轻人竞争性很强，在他的眼里，'弱肉强食'是生存的基本状态。他信奉实力决定一切，因此他会不遗余力地为自己争夺尽可能多的物质利益和生存空间。但他一般不会害人，不会使用特别凶残的手段。在他的内心里，还残存着'四海之内皆兄弟'的道义。"

实际情况是，那年轻人个子不高，说苛刻点几乎要算其貌不扬了，加上家境贫寒，按照常理该是比较自卑的。但他不，一点都不。整天意气风发、精神抖擞的，上大学，考研究生，什么都不落空。每当竞争的时候，他总是毫不退却、奋勇向前。计谋算不上很光明正大，但手段也并不卑劣，懂得趋利避害、适可而止。也许是天时加上人和，他的运气一直不错。

一位依旧美丽的中年女企业家告诉我，世界在她眼里是盘根错节的森林，热带雨林，遮天蔽日的。她在摸索着走，有时是爬，到处都有陷阱和叫不出名字的昆虫，很华丽也很狰狞……下着雨，很冷，有大毛虫发育成的极冷艳的蝴蝶在脖子后面盘旋……

我对这幅图像的真实性抱有深刻的怀疑。她祖籍北方，从未踏入北回归线以南。再说一个幼小婴孩，想象得出热带雨林的具体模样吗？还有毛虫和蝴蝶，这样复杂重叠的象征意象也是孩童难以触及的。她的叙述更像一场成人梦境，一个幻觉。

　　但女企业家谈话时的郑重神态，使我无法贸然认定她在说谎。

　　老人听完我的转述与疑问说："这是真实的。心灵的真实不仅仅是亲眼所见，更多的时候是一种浓缩升华后的感受。哪怕你说图像尽头是一幅外星人联欢的图画，我也确信无疑。人的感受有一种特质——无比忠诚。出于种种的利害关系，它可以欺骗别人，但它为自己保留下的图谱不会是赝品。这位女性对世界的看法，是荒诞奇诡而又不乏夺人心魄的诱惑与美丽，她应该擅长打拼，奋斗出了很高的成就。她好强，勇于挑战。但在不断的挣扎寻觅中，又感到巨大的孤独与人世的险恶。她臆造了一片热带雨林……"

　　我无话可说。老人就像与那女人相识了一百年，用电脑扫描了她的整个人生，留下一纸谶语。

　　随着积累的人们心底第一图数量的增多，我渐渐发觉探索源头的奥秘对每个人是一次心灵的剖析和飞跃。知道了自己眺望世界的基本视角，便有了揭示自身很多特点的钥匙。我们也许不能改变它，却可以因此变得更加理智和从容。

老人有一天对我说："你第一次对我描述的那个人，就是在沙漠中睁开眼睛看世界的人是谁啊？你还没有告诉我。"

我说："那个人就是我。我母亲抱着我，行进在从新疆到北京天地一色的途中。"

我的颜料是平静

毕淑敏
文集（一）

欧文女士高高的个子，高原湖泊一样蓝的眼珠，在新墨西哥州第一眼看到她的时候，就感到此人可亲近。这次到美国去，我有意识地在做一个小小试验，因为语言蹩脚，外语几乎起不到作用，我就尝试着用自己的直觉去感知一个人，辅以观察对方的形体语言，以判断他的内在情感。这样做好处成双。一是我觉得自己对人的把握更直截了当一些，好像在片刻之中，就与他的精神内核有一个碰撞。二是虽然我不懂他的语言，但我全神贯注地看着他，令对方感到自己受到尊重。

欧文女士是位美术家、工艺家，她主攻绘画，也制作蜡染之类的工艺品。她手工画出的丝绸头巾，在州立博物馆设有专柜出售。她大约五十岁，二十年前到过中国，在沈阳的一所大学教过英文。她对中国很有感情，每当我说"谢谢你拿出这么多宝贵的时间来陪我"，她就说："不客气，我这样做很快乐，也可以练习一下我的中文。"

如果我的中文说得慢些，她就可以听懂大部分，这使我们交流的速度变得快了很多。

欧文女士开一辆越野吉普车，这在山峦起伏的新墨西哥州有广泛的用处。她每天早晨开着这车到饭店接我们，然后带着我们在阳光下飞驰。记得有一天，她说："山上有一段路的树叶黄了，要不要去看看？"

我到远方去旅行的时候遵循着一个古老的原则，就是"客随主便"。这不但是一种礼貌，不会拂了主人的好意，更让我从中受益多多。你想啊，一个外地人，哪里知道此地什么东西好什么东西不好呢？就算有观光手册，终是隔靴搔痒。最好的风景，一定流传在当地人的口中。况且景色这东西和时辰、季节、气候的关系太大了，要看到最好的风光，一定要听从当地人的调遣。

于是我们的车出发了，在美国西部的荒原上开始了蜿蜒的旅行。在红土地上爬行了一段之后就进山了。山不高，山路的两侧和纵深地带都是笔直的杨树。我生在中国的白杨之城新疆伊犁，对杨树素

有好感，也就特别观察过杨树，但我真的从未曾看
到如此透亮的杨树叶，仿佛金箔剪裁而成，绝无一
般黄叶的残破衰败之相，它们是朝气蓬勃、欣欣向
荣、意气风发、神采奕奕的。看到这样的黄叶，你
会为绿叶捏了一把汗。如果绿叶没有制造氧气这样
的功用为人类所喜欢，单从审美的角度来说，宁静
而纯正的黄叶是无与伦比的，充满了让人清心寡欲
的生机。

　　一天，欧文女士抛给我一个难题，说明天上午
的活动让我在两项当中任意选择。一是到另类治疗
中心看治疗师实施催眠术，一是到她家看她如何在
丝绸上作画。如果我想学，她愿意教我。

　　真是"鱼和熊掌不可兼得"，而且谁是鱼，谁
是熊掌？说到这里，我倒想对这句古语发表点意
见。我总觉得把鱼和熊掌列在同一类里，似乎不
妥。就算古时候的熊比现在多得多，古时候的鱼比
现在难抓得多，它们的味道也还是不能比。

　　我很想看看外国当代的催眠术是怎样的。特别
是欧文女士强调了"另类"，更是激起了我强烈的
好奇心。还有一个重要的因素，我估计安妮也是对
催眠术的兴趣更大一些。虽然她是非常中立地为我
翻译了欧文女士的意见，但依我的直觉，我猜安妮
可能更想看看催眠术是如何现场操作的。

　　至于绘画，我真是一窍不通。我在博物馆的专业柜台上看到了欧文女士的手绘丝巾，我很喜欢，我觉得那里面有一种飘然的平缓，一种让人心绪浮动的细腻。我很想亲眼看到一位西方的艺术家是怎样在中国的丝绸上作画的。

　　我对安妮说："让我想5分钟。"

　　我想，催眠术，无论中国的外国的都差不多吧，此地可能更神秘、更现代或是更诡谲些？虽想象不出具体的情形，恐怕万变不离其宗。

　　丝绸绘画一定是静谧和柔软的，它充满了欧文女士个人化的特色，离开了新墨西哥州的圣塔非，就再也领略不到这份异国的精彩。

　　我突然明白了自己面临的选择，实际上是在很有限的时间里，我选择让自己的神经经历一次峰回路转的惊诧，还是温柔淡定的平静？

　　思绪一整理清楚，选择就浮出来了。我对安妮说："很对不起你了，我想谢绝那位另类的催眠术，而到欧文女士家观赏手绘丝巾。"

　　安妮很诚恳地说："毕老师，你不要考虑我的喜好。我完全尊重你的选择。"

　　谢谢你了，善解人意的安妮。

　　第二天早上，欧文女士驾驶着她的越野吉普车准时来到饭店。我们出了城，沿着山路走到一个孤立的山包上，在山顶处，有一栋敦实而现代的住宅。欧文女士说："到了，这就是我的家。"

欧文女士单身过很长时间，她一直在寻找自己的意中人，她走过很多地方，很多国家。她是一个很看重爱情、婚姻和家庭的人，她一直在寻找。后来找到了自己的丈夫，婚后他们非常幸福。欧文女士说："我很庆幸自己终于找到了他。而且非常奇怪，我在全世界找这个人，却没想到这个人就在我们这座小城里。结婚的时候，我对他说：'我有艺术，你有什么？'他说：'我有房子，可以把你的艺术放在里面……'"

听到这里，我说："我知道了，您的房子一定是充满了艺术的气息。"

欧文女士说："别的艺术我不敢说，但我敢说我的房子里充满了中国艺术的气息。"

在长满了沙生植物的山坡上，欧文女士的家像一座现代城堡。走进房门，室内笼罩在蛋清样清亮的微光中，原来采用的是日光照明，房顶上有高科技的天窗，据说即使在阴天的日子里室内也有柔光。再往里走，就有浓郁的东方味道飘荡过来。在客厅墙上，悬挂着中国的服装。在展示文物的橱柜中，可以看到芦笙、京胡、绣片、漆盘……欧文女士笑吟吟地介绍说："京胡是好的，可以拉得响。

芦笙只能看，不能吹奏了，因为买的时候就是坏的了。我想挑一个好的芦笙，但是老板告诉我，这是最后一个芦笙了……"

墙上还挂着一幅巨大的丙烯画，红艳喷薄欲出。第一眼看过去，以为把夕阳切下了一个角，仔细看才能分辨出那是鲜红欲滴的玫瑰花。我说："我要在这朵巨大的玫瑰前面照张相，它会给我带来好运气。"

欧文女士有两间画室，她领着我们来到其中一间好似作坊的工作室里，说："我平时画头巾就在这里，一般是不许外人参观的啊。"

欧文女士的手绘丝织头巾在博物馆的专柜里卖到80美元一条，其中丝巾的成本只占很少的一部分，最主要的价值来自欧文女士的知识产权。她请我们来到她的工作间，真是莫大的信任，我们表示深深的感谢。

欧文女士拿出两条纯白的丝巾。一条是大而正方的，一条是小而长方的。欧文女士说，大的头巾让我做试验品，小的头巾是她的教具。

"时间不多了，咱们就开始吧。"欧文女士说。

我说："好吧，师傅。"

大家就都笑起来。

欧文女士打开她的颜料柜，我的天！这么多瓶瓶罐罐，可能有几百个吧。

欧文女士抚摸着这些瓶瓶罐罐，如同骑士抚摸着他的战马和剑。她说："要在丝绸上作画，首先是颜料。我摸索了许久才找到这种法国出产的牌子，它的色泽在丝绸上的表现力是最好的。稀释颜料的时候要加冰醋酸，依我的经验，用一定温度的热水效果是最佳的，但是配置多种染料的时候，热水也是一个问题。我开始是用开水晾凉，但这温度不好掌握，要不停地用温度计查看。后来呀，我想出了一个法子，就可以得到温度非常适宜的热水了。你们猜，什么法子？"

我和安妮都摇头，想不出除了用水壶烧水和从暖水瓶或是饮水机扭开龙头向外放水以外，还有什么法子。

欧文女士得意地指着一台外壳染得像个花脸似的微波炉说："我就是用它得到适宜的热水。我有一些固定的容器，把冷水注入一定的水位，然后在微波炉里加热一定的时间，就可以得到适宜温度的热水，方便得很。有时候，我的染料温度不够，我也把它们放到这里来加温。"

我看着色彩斑斓的微波炉说："您这个技术革新，我一定要记下来。"

欧文女士说："这个微波炉是我独身时置下的，跟随我很多年了，除了热颜料，当然也热饭，我觉得这很正常啊。结婚以后，我先生说，他不能接受在这个微波炉里热出的饭，吃到肚子里会痛的。我们就又新买了一个微波炉，我的这个炉子就专门为染料服务了。"

欧文女士用木梁制作了类似绣花绷子的架子，把丝绸头巾固定在上面，如同平整的鼓面。之后她拿出画笔，又一次让我惊叹不已。那些笔呀，全是正宗的上等中国货，古色古香，粗细兼备。

她接着传授与我："在头巾上作画一定要用曲线，头巾是女性的珍爱，曲线最能表达女性的优美。和中国画写意中的大片留白不同，丝巾上是不可留白的。要用艳丽的色泽把整个丝巾涂得满满的，最美妙的是各种色泽相接的地方，由于丝绸的特性和染料的作用，会在颜色交叉处产生浸润和覆盖，那是很神奇的，会有意料不到的效果出现，有

一点像烧瓷器时的'窑变'。当然，交叉之处浸染的规律也很多哦，要反复练习和摸索才能掌握。"

"丝绸围巾画好之后，就要放到锅里去蒸。"欧文女士说。

我问："为什么要蒸？"

欧文女士说："为的是不掉颜色。丝绸围巾容易掉色，是一个很难解决的问题。特别是手绘的头巾，有的质量不过关，新的时候看着挺漂亮的，脏了一洗，不得了，颜色淌了，一塌糊涂。不知你们注意到了没有，几乎所有想买丝绸手绘头巾的人都要问一句：'会不会掉颜色啊？'我也是研究摸索了好久，才找出了这套方法。"欧文女士说着，拿出一个巨大的蒸锅。我好不容易才忍住自己的惊奇，因为想起早年间坐长途汽车，路边的小饭馆从这种蒸锅里拿出来的包子足够全车人吃的。

"这可是我的专利啊。"欧文女士说着，把丝巾和一种特殊的纸包裹在一起，然后紧紧地卷起来，一层压着一层，折叠之后约有手掌大小，再用干净的白布裹好，摆在笼屉里。"蒸的时间要足够的长，但是火可不能大。而且，你们看我的蒸锅和街上买来的蒸锅有什么不同呢？"

我看了半天，看不出有什么不同，只好摇头。

欧文女士说："我的锅盖是后配的啊，它是没有孔的。因为蒸丝巾有一个非常关键的点是不可漏气。所以，从街上买来的现成的蒸锅，是不能用的。蒸锅本来的用途是蒸包子的，为了让包子膨胀起来，要有蒸汽喷出的孔道。但是，蒸丝巾就完全不同了。不能让水气跑了，要让它们在锅内旋转，带着颜色渗透到蚕丝里面去。锅屉一定要用竹屉，是什么原因我不知道，但是只有竹屉蒸出来的丝巾最好。锅内不可用任何金属的器物，翻动丝巾也不可用金属，可以用木制或是竹制品。锅内的水万不可太深，如果水深了，在蒸煮的过程中水浸到了丝巾，那就对不起，前功尽弃了。为了让锅盖完全不漏气，最好用锡箔把盖子包起来，那就万无一失了。水也不可太少，如果蒸干了，整整一锅丝巾就全报废了。蒸好的丝巾要用上好的洗发香波洗一遍，注意啊，一定要用冷水，要是用了热水，对丝巾的颜色也会有影响。

"洗好之后，就是晾晒了。千万不要到太阳下面晒，但也不可在潮湿的地方慢慢阴干。要在有太阳的天气里，在太阳的阴影中将丝巾快速吹干。然后喷上熨衣浆，要喷在丝巾图案的背面，不可喷在正面。喷好熨衣浆之后，把丝巾折叠起来，稍等片刻，然后把它们熨好……"

我看欧文女士讲解得这般细致，不要说实地操作一遍，单是这样听下来都觉得辛苦，待她讲到这里，插嘴道："熨好之后，可就大功告成了。"

欧文女士笑眯眯地看着我说："没告成，还有点睛之笔呢！"

她说着拿出一瓶金色的染料："我喜欢用金色签上我的名字。因为我所绘出的每一条头巾都是我的一次创造。我从来没有重复过自己。有的时候，绘出一条特别美丽的头巾，我会舍不得把它拿到博物馆的专柜出卖。我就把它留在自己的身边，但这样保留下去自己身边的丝巾越来越多，也不是个办法啊。时间长了，我就会把一些原来准备保留的丝巾送到博物馆去。送去之后，我心里又非常惦念它们，经常到专柜柜台去看望我的那些丝巾。甚至，我很希望我的这些丝巾卖不出去，那样我就可以再把它们名正言顺地收回来，保存在自己的身边。但是，很遗憾，我最喜欢的那些丝巾都以最快的速度被人挑选走了。我在伤感的同时也有满足和快乐，因为我知道了自己所喜欢的东西也是大多数人所喜欢的。能给我带来快乐和美感的东西，也给别人带来了快乐和美感。"

我听得入神，心中真羡慕欧文女士对丝巾的这种感情，好像它们是她孵出的一群鸡雏。

欧文女士讲了半天，一看表，说："时间不早了，我们马上进入正题，你今天在这里亲手画一幅丝巾吧。"

她领我到画室配好颜料，然后帮我把丝巾绷在架子上，微笑着说："你可以开始了。"

我不知道怎样开始，突然惊慌起来，比我当年做卫生员第一次给病人打针时还紧张。怎么把针头戳进皮肤好歹还在白萝卜上练过，可这么大的一块雪亮丝绸，一笔下去就不可更改了，心中忐忑。

欧文女士用毛笔饱蘸了天蓝色的染料，在为我做示范的小丝巾上涂上了深浅不一的条块。一边画，一边对我说："蓝色是最丰富的色彩之一，特别是在丝绸上表现的时候，同样的一条蓝色，上沿多用些水，下沿多用些染料，就会出现立体的变幻效果。"

我颤颤巍巍地抓了笔，也蘸上了蓝色的染料，还是想不出画些什么。可能是蓝色刺激了我的想象，或者是我的想象实在贫乏，我用蘸着蓝色染料的毛笔在白丝绸上写下了一个大字——天……

欧文女士惊奇地看着我，可能因为汉字的象形性质，她一开始并没有意识到我是在写一个字，以为我是在画几缕高天流云，待看明白我是写下了一个"天"字的时候，她很欣赏地笑起来，说："很有特点，你接着画吧。"

我却更为难了。蓝色已被写了"天"字，之后，再画或者说再写什么字呢？

欧文女士问我："你还需要什么颜色？"

这时，一个想法蹦出脑海。我很坚决地说："我要赭红色。"

欧文女士拿出一个颜料瓶。我端到齐眉处，对着阳光看看，说："不是这个颜色，这个太偏向咖啡色了，我要更红一些的。"

我看安妮向欧文翻译这些话的时候，一副不知我的葫芦里卖什么药的神情。我也不解释，看了欧文向我推荐的第二种颜色，依然说："不是。我要的不是这种颜色。"

后来，干脆是我自己动手，在欧文众多的颜料瓶里挑出一种色彩。

欧文看了，提示我说："一般人通常是不喜欢棕色和咖啡色的。"

我说："师傅，谢谢你告诉我，但是，这幅画我想还是要用这种颜色。"

颜色调出来了，我用笔尖蘸了色，在雪白的丝绸上用赭红色写下了"印第安"三个大字，这些字写得像搭建起来的小房子。

原来，就在前一天，我们到了印第安人的保留地参观。古老的部落，残败的建筑（那不能叫建筑，只能说是用红土夯建的小屋）衬托在蔚蓝色的天幕，给我留下了非常深刻的哀伤之感。

印第安人没有文字，于是他们的历史湮灭在荒原之上，遗留下来的就只有这近似废墟的崖壁。我想用一种东方古老的文字寄托自己苍凉无尽的追念。

欧文女士看着我的画，说："你画得不错。你把这幅画留给我，我来把最后的工序完成。

这个上午过得非常充实。临走的时候，我问欧文女士："你已经完成了多少幅手绘的丝巾？"

欧文女士说："我没有特别精确的数字。手工创作不会件件都是成品，有一些不满意的，我就把它们销毁了。大致算下来，我绘出了70000条丝巾。"

我"啊"了一声，说："那么多啊！"

欧文女士说："是啊，我说的是卖出去的数字。我一想到在世界的各个角落，有70000名妇女系着我手绘的丝巾装点着她们的生活，我就非常兴奋。"

我说："欧文女士，你可以用一句话概括你手绘丝巾的风格吗？"

欧文女士稍微思索了一下，说："我用的颜料是平静。我把我的平静融化到我的颜料中，然后把它们浸透到遥远的中国制造的丝绸中，我把平静和丝绸结合起来。"

临走的时候，欧文女士附在我的耳边说："丝巾的四个角，你一定要用鲜艳的颜料填满，因为它们会飘扬在女士的脖子上，非常重要。再有一个小秘密，你一定要记住。在你的手绘丝巾的最后一道工序没有完成之前，你千万不要给任何一个外人看，就是你最好的朋友你也不要给她看。没有完成的丝巾是不美丽的。如果你对自己的丝巾不满意，觉得它没有惊人的美丽，你就把它销毁，不要拿出来。记住，一定要把丝巾熨得平平整整，在它光彩四溢的时候，再把它拿出来。"

15.
坚持糊涂

（毕淑敏文集）

　　我的一位远亲住在老干部休养所内，那里林木森森，有一种暮霭沉沉的苍凉之感，隔几年，我会到那里暂住几天。我称她为姑妈。

　　干休所很寂寞，只有到了周末才有些儿孙辈的来探望，带来轻微的喧闹。平日的白天，绿树掩映的一栋栋小楼，好似荒凉的农舍，悄无声息。每一栋小楼的故事，被门前的小径湮没。也有短暂的热闹时光，那是每天晚上《新闻联播》和《焦点访谈》之后，就有三三两两的老人从各自温暖的家中走出来，好像一种史前生物浮出海面，沿着干休所的甬路缓缓散步。这时分很少有车辆进出，所以，老人们放心地排着不很规则的横列，差不多壅塞了整个道路，边议论边踱着，无所顾忌地传播着国家大事和邻里小事……大约一小时之后，他们疲倦了，就稀落地散去。

我也有晚饭后散步的习惯，跟在老人们身后受限，超过他们又觉不敬，便把时间后移。姑妈怕我一个人寂寞，便陪我。

这时老人们已基本结束晚练，甬路空旷寂寥。我和姑妈随意地走着，突然，看到前方拐角的昏暗处有一个树墩状的物体移动着，之上有枝杈在不规则地摇动……

我吓了一跳，想跑过去看个究竟，姑妈一把拽住我说："别去！我们离远些！"

那个"树墩"渐渐挪远，我刚想问个明白，没想到姑妈还是紧闭着嘴，并用眼光注意侧方。我又看到一个苗条的身影，像狸猫一样轻捷地跟随着"树墩"，若隐若现地尾随而去……

那一瞬，我真被搞糊涂了。在这很有与世隔绝之感的干休所，好像有迷雾浮动。

拉开足够的距离，确信我们的谈话不会被任何人听到后，姑妈说："前面走的那个是苗部长，她偏瘫了，每天晚上发着狠锻炼。她特别要强，不愿旁人看到她一瘸一拐、手臂像弹弦子一样乱抓的模样，所以，总是要等到别人都回家以后，才一个人出来走。大伙儿都不和她打招呼，假装没看见，体谅她。后面跟的那人是她家的小保姆，暗地里照顾她，又不敢让她瞅见……"

我插嘴道："那保姆看起来岁数可不小了。"

姑妈说："平日说'小保姆'说顺嘴了，你眼力不错。苗部长以前是做组织工作的，身子瘫了，脑瓜一点不糊涂。她说保姆长期服侍病人，年龄太小，耐性恐成问题。所以，特地挑了个中年妇女，还一定要不识字的，因为她老伴老高是搞宣传的，家里藏书很多。要是挑来个识文断字的保姆，还不够她一天看故事、读小说的。这个左挑右选来的保姆叫檀嫂，你这是晚上见她，看不清楚脸面。人长得好，也干净利落，身世挺可怜的，男人死了，也没个孩子，对老苗可好了……"

第二年，我再去的时候，一切如旧，但和姑妈散步的时候，却没有看到树墩状的苗部长和狸猫样的檀嫂。我随口问道："苗部长好了？檀嫂走了？"

即使在微弱的路灯下，我也能看到姑妈脸上浮现着高深莫测的沉思表情。"不知道。"她说，把嘴唇抿得紧紧的，好似面对刑讯的女共产党员。我也不便深问，此事轻轻带过。

再一年散步的时候，却猝不及防地看到了"树墩"。她摇晃得很厉害，手臂的划动也更加颤抖和无规则，艰难地挪着，每一个瞬间都可能整个扑到

马路上，但她偏偏不可思议地挺进着。我马上去搜寻她的侧面，果然又看到了那狸猫样的身影，只是没了往日的灵动。待光线稍好，我看清檀嫂怀里抱着一个婴儿。

"苗部长病得好像更重了。"我说。

"是。"姑妈说。

"檀嫂结婚了？"我说。

"没。"姑妈说。

"那孩子是谁的？"我问。

"苗部长生的。"姑妈说。

我差点摔个大马趴，虽然脚下的路很平。我说："姑妈，你不是开玩笑吧？且不说苗部长有重病，单说她多大年纪了？早就过了更年期了，怎么还会有孩子？"

姑妈说："苗部长退休好几年了，你说她有多大年纪？孩子嘛，老蚌含珠，古书上也是有记载的。去年，苗部长和檀嫂很长时间不出门，后来，家就传出了月娃子的哭声……"

我说："是不是……"

姑妈堵住我的嘴说："天下就你聪明吗？苗部长说那娃娃是自己生的，谁又能说不是？我们这儿的人，什么都不说。"

我也什么都不说，等待着那一对奇异的散步搭档再次路过我们身旁。这一回，我站在半截冬青墙后，仔细地观察着。苗部长的面容是平静和坚忍的，她的身体仿佛在说着一句话——我要重新举步如飞！檀嫂是顺从和周到的，从她抱着孩子的姿势中，也透出浅浅的幸福之意。

我什么也说不出来。

过了两年，再去姑妈那里，散步的时候，又不见了"树墩"和"狸猫"。我问姑妈："苗部长呢？"

"去世了。"姑妈淡淡地说。

我猛地想起"三言二拍"中常说的一句话：奸出人命赌出贼，紧张地问："请法医鉴定了吗？"

姑妈好生奇怪地反问我："请法医干吗？苗部长在医院住了很长时间，檀嫂服侍得非常周到。去世的时候，她拉着老高的手，说自己非常满意了，并祝老高幸福。还拉着檀嫂的手说'谢谢',最后她是亲吻着那个小小的孩子离世的。"

我说:"后来檀嫂就和老高结婚了,现在很幸福。对吗?"

姑妈说:"是的。你怎么知道的?"

我说:"这件事再清楚不过了,只要有70分的智商就能理出脉络。你们这里的人都不明白吗?"

姑妈微笑着说:"我们这里的人戎马一生,几乎每个人都杀过人,可是我们都不想弄明白这件事。这件事里没有人不乐意,对不对?老高要是不乐意,就没有那个孩子。苗部长要是不乐意,就不会承认那个孩子是自己生的。檀嫂要是不乐意,就不会那么精心地服侍苗部长那么长的时间……坚持把一件事弄明白不容易,始终把一件事不弄明白,坚持糊涂也不容易。你说是不是?"

我深深地点点头。

16.

提醒幸福

文集
毕
淑
敏
〉
〉

　　我们从小就习惯了在提醒中过日子。天气刚有一丝风吹草动，妈妈就说："别忘了多穿衣服。"才结识了一个朋友，爸爸就说："小心他是个骗子。"你取得了一点成功，还没容得乐出声来，所有关心你的人就一起说："别骄傲！"你沉浸在欢乐中的时候，自己不停地对自己说："千万不可太高兴，苦难也许马上就要降临……"我们已经习惯了在提醒中过日子，看得见的恐惧和看不见的恐惧始终像乌鸦盘旋在头顶。

　　在皓月当空的良宵，我们又会收到提醒："注意风暴。"于是我们忽略了皎洁的月光，急急忙忙做好风暴来临前的一切准备。当我们大睁着眼睛枕戈待旦之时，风暴却像迟归的羊群，不知在哪里徘

徊。当我们实在忍受不了等待灾难的煎熬时，我们甚至会祈盼风暴早些到来。

风暴终于姗姗地来了。我们怅然发现，所做的准备多半是没有用的。事先能够抵御的风险毕竟有限，世上无法预计的灾难却是无限的，战胜灾难靠的更多的是临门一脚，先前的惴惴不安帮不上忙。

当风暴的尾巴终于远去，我们守住家园，气还没有喘匀，新的提醒又响起来，我们又开始对未来充满恐惧和期待。

人生总是有灾难。其实大多数人早已练就了对灾难的从容，我们只是还没有学会灾难间隙的快活。我们太注重让自己警觉苦难，我们太忽视提醒幸福。

请从此注意幸福!

幸福也需要提醒吗?

提醒注意跌倒……提醒注意路滑……提醒受骗上当……提醒宠辱不惊……先哲们提醒了我们一万零一次，却不提醒我们幸福。

也许他们认为幸福不提醒也跑不了的。也许他们以为好的东西你自会珍惜，犯不上谆谆告诫。也许他们太崇尚血与火，觉得幸福无足挂齿。他们总是站在危崖上，指点我们逃离未来的苦难。但避去苦难之后是什么?

那就是幸福啊！

享受幸福是需要学习的，当幸福即将来临的时刻需要提醒。人可以自然而然地学会感官的享乐，却无法天生掌握幸福的韵律。灵魂的快意同器官的舒适像一对孪生兄弟，时而相傍相依，时而貌合神离。

幸福是一种心灵的震颤。它像会倾听音乐的耳朵一样，需要不断地训练。

简言之，幸福就是没有痛苦的时刻。它出现的频率并不像我们想象的那样少。人们常常只是在幸福的金马车已经驶过去很远后，才捡起地上的金鬃毛说："原来我见过它。"

人们喜爱回味幸福的标本，却忽略幸福披着露水散发清香的时刻。那时候我们往往步履匆匆，瞻前顾后不知在忙着什么。

世上有预报台风的，有预报蝗虫的，有预报瘟疫的，有预报地震的，没有人预报幸福。其实幸福和世界万物一样，有它的征兆。

幸福常常是朦胧的，很有节制地向我们喷洒甘霖。你不要总希冀轰轰烈烈的幸福，它多半只是悄悄地扑面而来。你也不要企图把水龙头拧大，幸福会很快地流失，你须静静地以平和之心体验幸福的真谛。

幸福绝大多数是朴素的。它不会像信号弹似的在很高的天际闪烁红色的光芒，它披着本色外衣，温暖地包裹起我们。

幸福不喜欢喧嚣浮华，常常在暗淡中降临。贫困中相濡以沫的一块糕饼，患难中心心相印的一个眼神，父亲一次粗糙的抚摸，女友一张温馨的字条……这都是千金难买的幸福啊，像一粒粒缀在旧绸子上的红宝石熠熠夺目。

幸福有时会同我们开一个玩笑，乔装打扮而来。机遇、友情、成功、团圆……它们都酷似幸福，但它们并不等同于幸福。幸福会借了它们的衣裙袅袅婷婷而来，走得近了，揭去帏幔，才发觉它有钢铁般的内核。幸福有时会很短暂，不像苦难似的笼罩天空。如果把人生的苦难和幸福分置天平两端，苦难体积庞大，幸福可能只是一块小小的矿石，但指针一定要向幸福这一侧倾斜，因为它是生命的黄金。

幸福有梯形的切面，它可以扩大也可以缩小，就看你是否珍惜。

我们要提高对于幸福的敏感，当它到来的时刻，激情地享受每一分钟。据科学家研究，有意注意的结果比无意的要好得多。

当春天来临的时候，我们要对自己说："这是春天啦！"心里就会泛起茸茸的绿意。

幸福的时候，我们要对自己说："请记住这一刻！"幸福就会长久地伴随我们。

那我们岂不是拥有了更多的幸福？

所以，丰收的季节先不要去想可能的灾年，我们还有漫长的冬季来考虑这件事。我们要和朋友们跳舞唱歌，渲染喜悦。既然种子已经回报了汗水，我们就有权沉浸在幸福中。不要管以后的风霜雨雪，让我们先把麦子磨成面粉，烘一个香喷喷的面包。

所以，当我们从天涯海角相聚在一起的时候，请不要踌躇片刻后的别离。在今后漫长的岁月里，有无数孤寂的夜晚可以独自品尝愁绪。现在的每一分钟，都让它像纯净的酒精，燃烧成幸福的淡蓝色火焰，不留一丝渣滓。让我们一起举杯，说："我们幸福。"

　　所以，当我们守候在年迈的父母膝下时，哪怕他们鬓发苍苍，哪怕他们垂垂老矣，你都要有勇气对自己说："我很幸福。"因为天地无常，总有一天你会失去他们，会无限追悔此刻的时光。

　　幸福并不与财富、地位、声望、婚姻同步，这只是你心灵的感觉。

　　所以，当我们一无所有的时候，我们也能够说："我很幸福。"因为我们还有健康的身体。当我们不再享有健康的时候，那些最勇敢的人依然可以微笑着说："我很幸福，因为我还有一颗健康的心。"甚至当我们连心也不再存在的时候，那些人类最优秀的分子仍旧可以对宇宙大声说："我很幸福，因为我曾经生活过。"

　　常常提醒自己注意幸福，就像在寒冷的日子里经常看看太阳，心就不知不觉暖洋洋、亮光光。

17

谎言三叶草

毕淑敏
文集
〈 〉

人总是要说谎的，谁要是说自己不说谎，这就是一个彻头彻尾的谎言。

有的人一生都在说谎，他的存在就是一个谎言。世界是由真实的材料构成的，谎言像泡沫一样浮在表面，时间使它消耗殆尽，就好像从来没有存在过似的。

有的人偶尔说谎，除了他自己，没有人知道这是一个谎言。谎言在某些时候表达的只是说话人的善良愿望，只要不害人，说说也无妨。

对谎言刻骨铭心的印象可以追溯很远。小的时候在幼儿园，每天游戏时有一个节目，就是小朋友说自己家里有什么玩具。一个说："我家有会说话的玩具青蛙。"那时我们只见过上了弦会蹦的铁皮蛤蟆，小小的心眼一算计，大人们既然能造出会跑的动物，应该也能让它叫唤，就都信了。又一个小朋友说："我家有一个玩具火车，像一间房子那样长……"我呆呆地看着那个男孩，前一天我才到他们家玩过，绝没有看到那么庞大的火车……我本来是可以拆穿这个谎言的，但是看到大家那么兴奋地注视着说谎者，就不由自主地说："我们家也有一列玩具火车，像操场那么长……"

"哇！哇！那么长的火车！多好啊！"小伙伴齐声赞叹。

"那你明天把它带到幼儿园里让我们看看好了。"那个男孩沉着地说。

"好啊！好啊！"大家欢呼雀跃。

我幼小身体里的血液一下凝住了。天哪，我到哪里去找那么宏伟的玩具火车？也许世界上根本就没有造出来！

我看着那个男孩，我从他小小的褐色眼珠里读出了期望。

他为什么会这么有兴趣？依我们小小的年纪，还完全不懂得落井下石……想啊想，我终于明白了。

我大声对他也对大家说："让他先把房子一样大的火车拿来给咱们看，我就把家里操场一样长的火车带来。"

危机就这样缓解了。第二天，我悄悄地观察着大家。我真怕大伙儿追问那个男孩，因为我知道他是拿不出来的。大家在嘲笑了他之后，就会问我要操场一般大的玩具火车。我和那个男孩忐忑不安，彼此都没说什么。只是一整天都是我俩在一起玩。幸好那天很平静，没有一个小朋友提起过这件事。

我小小的心提在喉咙口很久，我怕哪个记性好的小朋友突然想起来。但是日子一天天平安地过去了，大家都遗忘了，以后再说起玩具的时候，我吓得要死，但并没有人说火车的事。

真正把心放下来是从幼儿园毕业的那天。当我离开朝夕相处的老师和小朋友的时候，当然也有点恋恋不舍，但主要是像鸟一样地轻松了，我再也不用为那列子虚乌有的火车操心了。

这是我有记忆以来最清晰的一次说谎，它给我心理上造成的沉重负担，简直是一项童年之最。在漫长的岁月里我无数次地反思，总结出几条教训。

一是撒谎其实不值得。图了一时的快活，遭了长期的苦痛，占小便宜吃大亏。不到万不得已，不要说谎。

二是说谎很普遍。且不说那个男孩显然在说谎，就是其他的小朋友也经常浸泡在谎言之中。证据就是他们并不追问我大火车的下落了。小孩的记

性其实极好，他们不问并不是忘了，而是觉得此事没指望了。也就是说，他们知道这是一个骗局。他们之所以能看清真相，是因为感同身受。

三是说谎是一门学问，需要好好研究，主要是为了找出规律，知道什么时候可说谎，什么时候不可说谎，划一个严格的界限。附带的是要锻炼出一双能识谎言的眼睛，在苍茫人海中谨防受骗。

修炼多年，对于说谎的原则，我有了些许心得。

平素我是不说谎的，没有别的理由，只是因为怕累。人活在世上，真实的世界已经太多麻烦，再加上一个虚幻世界掺和在里面，岂不更乱了套？但在我的心灵深处，生长着一棵谎言三叶草。当它的每一片叶子都被我毫不犹豫地摘下来的时候，我就开始说谎了。

它的第一片叶子是善良。不要以为所有的谎言都是恶意的，善良更容易把我们载到谎言的彼岸。我当过许多年的医生，当那些身患绝症的病人殷殷地拉了我的手，眼巴巴地问："大夫，你说我还能治好吗？"我总是毫不踌躇地回答："能治好！"我甚至不觉得这是谎言。它是我和病人心中共同的希望，在不远的微明处闪着光。当事情没有糟到一塌糊涂的时候，善良的谎言也是支撑我们前进的动力啊！

三叶草的第二片叶子是此谎言没有险恶的后果，更像是一个诙谐的玩笑或是温婉的借口。比如文学界的朋友聚会是一般人眼中高雅的所在，但我多半是不感兴趣的。我对未知的事物充满了兴趣，很愿意同普通的工人、农民或是哪一行当的专家待在一起，听他们讲我不知道的故事，至于作家聚在一起要说些什么，我大概是有数的，不听也罢。但人家邀了你是好意，断然拒绝不但不礼貌，也是一种骄傲的表现，和我的本意相差太远。这时候，除了极好的老师和朋友的聚会我会兴高采烈地奔去，此外一般都是找一个借口推托了。比如我说正在写东西，或是已经有了约会……总之，让自己和别人都有台阶下。这算不算撒谎？好像要算的。但它结了一个甜甜的果子，维护了双方的面子，挺好的一件事。

　　第三片叶子是我为自己规定的,谎言可以为维护自尊心而说。我们常常会做错事。错误并没有什么了不起,改过来就是了。但因了错误在众人面前伤了自尊心,就由外伤变成了内伤,不是一时半会儿治得好的。我并不是包庇自己的错误,我会在没有人的暗夜深深检讨自己的问题。但我不愿在众目睽睽之下,把自己像次品一般展览。也许每个人对自尊的感受阈不同,但大多数人在这个问题上都很敏感。想当年,一个聪敏的小男孩打碎了姑姑家的花瓶没有承认,也是怕自己太丢面子了。既然革命导师都会有这种顾虑,我们自然也可原谅自己。为了自尊,我们可以说谎,同样为了自尊,我们不可将谎言维持得太久。因为真正的自尊是建立在不断完善自己的基础上的,谎言只不过是暂时的烟雾。它为我们争取来了时间,我们要在烟雾还没有消散的时候,把自己整旧如新。假如沉迷于自造的虚幻,烟雾消散之时,现实将更加窘急。

　　随着年龄的增长,心田里的谎言三叶草渐渐凋零。我有的时候还会说谎,但频率减少了许多。究其原因,我想,谎言有时表达了一种愿望,折射出我们对事实朦胧的希望。生命的年轮一圈圈增加,世界的本来面目像琥珀中的甲虫越发纤毫毕现,需要我们更勇敢地凝视它。我已知觉人生的第一要素不是善，而是真。我已不惧怕残酷的真相，对过失可能的恶劣的后果有了兵来将挡、水来土掩的勇气。甚至对于自尊也变得有韧性多了。自尊，便是自己尊重自己，只要你自己不倒，别人可以把你按倒在地上，却不能阻止你满面尘土、遍体伤痕地站起来。

有的人总是说谎，那不是谎言三叶草的问题，简直是荒谬的茅草地了。对这种人，我并不因为自己也说过谎而谅解他们，偶尔一说和家常便饭地说，还是有原则上的区别的。

中国有句古话，叫作"人之将死，其言也善"。我觉得这个"善"字就是真实的意思。也就是说，人到临死的时候就不说谎了。

但这个省悟，似乎来得太晚了一点。

活着而不说谎，当是人生的大境界。

文　毕
集　淑
〉　敏

万里迢迢，到了甘肃敦煌。鸣沙山像一个橙黄色的诱惑，半明半暗卧在傍晚的戈壁上。

人们像朝圣似的扒下鞋袜，一步一滑地向沙顶爬去。

"你是想后来居上吗？"友人从五层楼高的沙坡上向我招手。

我抱着双肘，半仰着脸对她说："我不爬山。"

"那你怎么到达山那边如画的月牙泉？"

"雇一匹骆驼。"

"要是雇不到骆驼呢？"友人从六层楼高的沙丘上向我喊话。

"那就只好沿着山根转过去。"

"这可是鸣沙山啊！"友人已经到了七层楼高

的沙峰。

"不管是什么山，只要给我选择的自由，我就不爬。

"我憎恶爬山！"

我对友人喊，她已经到了十几层楼高的沙崖，没有回头。

她没有听到我的话，听到了也不会赞同。

经历是我们爱憎的最初的和永远的源泉。

我曾经穿行于世界上最高的峰峦与旷野，山给予我太多的苦难。那个时候我17岁，当现在的女孩娇嗔地把这个年龄称为"花季"的时候，我正在昆仑山上度着永远的冬季。

在最冷的日子里，我们要爬很多皑皑的雪山。我背着枪支、弹药、十字箱、雨布、干粮、大头鞋、皮大衣，还有背包，加起来六七十斤。

第一天行进的路程，只是爬一座山。那座山悬挂在遥远的天际，像一匹白马的标本。

还没有走到山脚下，我就一步也迈不动了。宿营地在山的那边，遥远得如同我已死去了的曾祖父母。我完全不知道自己将怎样走过这漫长的征途。

缺氧使我憋闷得直想撕裂胸腔，把自己的心像一穗玉米那样扒出，晾晒在高原冰冷的阳光中。

生命给予我的全部功能都成了感受痛苦的容

器，我的眼珠被冰雪冻住了，雪花像六角形的芒刺牢固地粘在眼皮上，绝不融化，眼睛像两只雪刺猬。呼呼的风声将耳膜压得像弓弦一样紧张，根本听不到除此以外的任何声响。关节里所有的滑液都被冻住了，每走一步都感觉到冰碴的摩擦。手指全然失掉知觉，感到手腕以下是光秃秃的……

时至夜半，我仍未走出那座山。我慢慢地、慢慢地倒向昆仑山万古不化的寒冰。我不走了，一步也不想走了，走比死亡可怕得多。枕着冰雪，仰望高海拔处才能见到的宝蓝色天空。我愿意永不复生。

参谋长几乎是用枪逼迫我站起来重新走。

从此，我惧怕爬山，仅次于死亡。

惧怕爬山，实际上是惧怕苦难。山，这些地球表面疙里疙瘩的赘物，驱使我们抵抗地心强大的引力，以自身微薄的力量把自己举起来。当我们悬浮在距海平面很大的山峦上，以为自己很高大，其实我们不过是山的玩偶。

苦难是对人的肉体和心灵的酷刑。那些叫嚷热爱苦难的人，我总怀疑他们未曾经历过刻骨铭心的苦难。或者曾将苦难与苦难换取的荣誉置于跷跷板的两头，他们发现荣誉飘扬在半空，遮蔽了苦难，他们觉得值。

苦难是对人的信念最残酷的锤打。当你饥肠辘辕，当你衣不蔽体，当你的尊严践踏于泥泞之中，当你纯洁的期冀被苦难蚀得千疮百孔之时，你对整个人类光明的企盼极有可能在这"黑海洋"中颠覆。命运之舟破碎了，只剩几块残骸，即使逃脱困厄的风口，理想也受到致命的一击。再要抬起翅膀，需要积蓄永远的力量……

经受苦难而不委靡、不沦落、不摇尾乞怜、不柔若无骨、不娼不盗、不偷不抢、不失魂落魄、不死去活来，是天才、是领袖、是超人，非平常人可比。

然而历史是平常人创造的。

幸亏人类害怕苦难，人类才得以不断进步、发展、繁荣。假如人类什么都不怕，什么都满足，那么至今还穴居山顶、茹毛饮血、火种刀耕。

最稚嫩最敏感的部位最怕疼，例如我们的手指尖。粗糙它、磨砺它，指肚便会结出厚厚的趼子，这是一种悲哀的退化。

手指结茧可以消退，心灵的蛹若被苦难之丝围绕，善与美的蛾儿便难以飞出，多数窒息于黑暗之中。

当然，当苦难像飓风一样无以回避地迎面扑来时，我也会勇敢地迎上去，任沙砾打得遍体鳞伤，任头发像一面黑色的旗帜高高飘扬……

为了逃避苦难，我一生奋斗不息。

苦难也像幸福一样，分有许多层次，好像一条漫长的台阶。苦难宫殿里的至尊之王，是心灵的痛楚。

没有血迹，没有伤痕，假如心灵被洞穿，那伤口永世新鲜。

我相信在人类的心灵国度里，通行"痛苦守恒定律"。无论怎样的位极人臣，无论怎样的花团锦绣，无论怎样的二八佳丽，无论怎样的鹤发童颜，都有潜藏的伤口，淌着透明的血。

逃避了食不果腹、衣不蔽体的小苦难，便滋生出建功立业、壮志未酬的大痛苦，待功成名就、踌躇满志之时，又生出孤独寂寞、高处不胜寒的凄凉……人类只要存在感觉，苦难便像影子永远伴随。成功地逃避一次又一次苦难，人类就在进化的阶梯上匍匐向前了。

西域古道上，驼铃叮当。我骑着骆驼，绕到月牙泉。

"没有爬上鸣沙山，你要后悔一辈子。"友人气喘吁吁滑下沙丘对我说。

我不后悔。世界上的山是爬不完的，能少爬一座就少爬一座吧。

像逃避瘟疫一般，我逃避苦难。

19

人生有三件事不可俭省

毕淑敏文集（一）

　　无论世界变得如何奢华，我还是喜欢俭省。这已经变得和金钱没有很密切的关系，只是一个习惯。我这样说，实在是因为俭省的机会其实很多，俯拾即是、遍地滋生。比如不论牙膏管子多么丰满，你只能在牙刷毛上挤出1.5到2厘米长的膏条，而不是1尺长，因为你用不了那么多，你不能把自己的嘴巴变成螃蟹聚会的洞穴。再比如无论你坐拥多少橱柜的衣服，当暑气蒸人的时候，你只能穿一件纯棉的T恤衫，如果把貂皮大衣捂在身上，轻则长满红肿热痛的痱毒，重了就会中暑倒地、一命呜呼。俭省比奢华要容易得多，是偷懒人的好伴侣——用最直截了当的方式和最小的代价直抵目标。

　　然而有三件事你不能俭省。

第一件事是学习。学习是需要费用的，就算圣
人孔子，答疑解惑也要收干肉为礼。学习费用支出
的时候，和买卖其他货物略有不同。你不知道究竟
能得到多少知识，这不单决定于老师的水平，也决
定于你自己的状态，这在某种情况下就有点"隔山
买牛"的味道，甚至比股票的风险还大。谁也不能
保证你在付出了学费之后一定能考上大学，你只
能先期投入。机遇是牵着婚纱的小童，如果你不学
习，新娘就永远不会出现在你人生的殿堂。

　　第二件事是旅游。每个人出生的时候都是蝌
蚪，长大了都变作井底之蛙。这不是你的过错，只
是你的局限，但你要想法弥补。要了解世界，必
须到远方去。旅游是需要花钱的，这谁都知道。旅
游的好处却不是一眼就能看到的，常常需要日积月
累、潜移默化的蓄积。有人以为旅游只是照一些相
片买一些小小的工艺品，其实不然。旅行让我们的
身体感受到不同的风和水，我们的头脑也在不同风
土人情的滋养下变得机敏，目光因此多彩，谈吐因
此谦逊。

　　第三件事情是锻炼身体。原始人没有专门锻炼
身体的习惯，饥一顿饱一顿全无赘肉。生存的需
要逼得他们不停奔跑狩猎，闲暇的时候就装神弄
鬼，在岩壁上凿画，在篝火边跳舞，都不是轻体力

劳动，积攒不下多余的卡路里。社会进步了，物质丰富了，用不完的热量成了我们挥之不去的负担。于是要人为地在机器上跋涉，在残余氯的池子里浮沉，在人造的雪和冰面上打滚，在水泥峭壁上攀爬……这真是愚蠢的奢侈啊，可我们没有办法，只有不间断地投入金钱，操练羸弱的肌肉和骨骼，才能保持最起码的力量和最基本的敏捷。

有没有省钱的方法呢？其实也是有的。把人生当作课堂，向一切人学习，就省了上学的钱。徒步到远方去，就省了旅游的钱。不用任何健身器械，就在家里踢毽子、高抬腿、做广播体操……就省了健身的钱。

然而，这也是破费，因为我们付出了时间。

20.

柔和

文 毕
集 淑
〉 敏

　　"柔和"这个词，细想起来挺有意思的。先说"和"字，禾苗和口两部分组成，那含义大概就是有了生长着的禾苗，嘴里的食物就有了保障，人就该气定神闲、和和气气了。

　　这个规律，在农耕社会或许是颠扑不破的。那时只要人的温饱得到解决，其他的都好说。随着社会和科技的进步，人的较低层次需要得到满足之后，单是手中有粮，就无法抚平激荡的灵魂了。中国有句俗话，叫作"吃饱了撑的——没事找事"，可见胃充盈了之后就有新的问题滋生，起码无法达至完全的心平气和。

　　再说"柔"这个字。通常想起它的时候，好像稀泥一摊，没什么筋骨的模样。但细琢磨，上半部是"矛",下半部是"木"——一支木头削成的矛,看来还是蛮有力量和进攻性的。柔是褒义,比如"柔韧、以柔克刚、刚柔相济、百炼钢化作绕指柔",都说明它和阳刚有着同样重要的美学价值。

记得早年当医学生的时候,一天课上先生问道:"大家想想,用酒精消毒什么浓度为好?"学生齐声回答:"当然是越高越好啦!"先生说:"错了。太高浓度的酒精会使细菌的外壁在极短的时间内凝固,形成一道屏障,后续的酒精就再也杀不进去了,细菌在壁垒后面依然活着。最有效的浓度,是把酒精调得柔和些,润物无声地渗透进去,效果才佳。"

于是我第一次明白,柔和有时比粗暴更有力量。

柔和是一种品质与风格。它不是丧失原则,而是一种更高境界的坚守,一种不曾剑拔弩张,依旧坚守尊严的艺术。柔和是内在的原则和外在的弹性充满和谐的统一,柔和是虚怀若谷的谦逊和冷暖相宜的交流。

现代人在风驰电掣的忙碌中,是多么期望自己和他人的柔和啊。不信,你看看报上的征婚广告,净是征求性格柔和的伴侣。人们希望目光是柔和的、语调是柔和的、面庞的线条是柔和的、身体是柔和的……

当我们轻轻念出"柔和"这个词的时候,你会觉得有一缕淡蓝色的温润弥漫在唇舌之间。

有人追索柔和，以为那是速度和技巧的掌握。书刊上有不少教授柔和的小诀窍，比如怎样让嗓音柔和、手势柔和。我见过一个女孩子，为了使性情显出柔和，在手心用油笔写了大大的"慢"字，天天描一遍，掌总是蓝的，以致扬手时常吓人一跳，以为她练了邪门武功。她为自己规定每说一句话之前，在心中从1到10默数，但她除了让人感到木讷和喜怒无常外，与柔和完全不搭界。

一个人的心如若不柔和，所有对柔和外在形式的模仿和操练，都是沙上楼阁。

看看天空和海洋吧，当它们最美丽和最博大，最安宁和最清洁的时候，它们是柔和的。

只有自己的心成长了，才会在不经意之间收获柔和。

我们的声音柔和了，就更容易渗透到辽远的空间；我们的目光柔和了，就更轻灵地卷起心扉的窗纱；我们的面庞柔和了，就更流畅地传达温暖的诚意；我们的身体柔和了，就更准确地表明与人平等的信念。

柔和，是力量的内敛和高度自信的宁馨儿，愿你在某一个清晨，感觉柔和像云雾一般悄然袭身。

21.

自拔

文　毕
集　淑
〉　敏

　　自己把自己拔出来，我喜欢"自拔"这个词。不是跳出来或是爬出来，而是"拔"。小时候玩过"拔萝卜"的游戏，那是要一群小朋友化装成动物，齐心合力才能完成的"事业"。现代人常常陷在压力的泥沼中，难以享受生活的美好，把自己从压力中拔出来也是一项系统工程。

　　"压力"本是一个物理词汇，比如气压、水压、风压。推广开来，医学上有血压、脑压、颅内压等，多属于专业名词，不料如今风云突变，压力成了高频词。生活有压力，经济有压力，学业有压力，晋升有压力，人际关系有压力，情感世界有压力，婚姻也有压力……人们的交谈中，无不涉及林林总总的压力。压力像汽油桶被打翻，弥散到现代生活的各个领域，散发着浓烈的气味，我们躲不胜躲，防不胜防，它不定在哪个瞬间就燃起火焰。

其实，适当的压力是保持活性的重要条件。如果空气没有了压力，我们的呼吸就会衰竭；如果血液没有了压力，我们的四肢就会瘫痪；如果水管子没有了压力，那结果是让任何一个住在高层楼房的人都噤若寒蝉的，你将失去可饮可用的清洁水。20世纪的石油英雄"王铁人"也说过，"井无压力不出油，人无压力不进步"。

只是这压力须适度。比如冬日里柔柔的阳光照在身上，这是一种轻松的压力，让我们温暖和振奋。设想这压力增加十倍，在吐鲁番酷热的夏季，大伙儿只有躲到地窖里才能过活。假如这压力继续增加，到了百倍千倍，结果就是人们成了一堆焦炭了。

现代人常常陷于压力构建的如焚困境之中。也许是某一方面的压力过强，也许是多方面的压力综合在一起。如是后者，单独某一方面的压力尚可容忍，但积少成多、日积月累，细微的压力堆积起来就成了如山的重负。金属都有疲劳的时候，遑论血肉之躯？如不减压，真怕有一天成了齑粉。

如果你因压力忙到无力自拔，忙到昏天黑地，忘记了自己的生日和家人的聚会，忘掉了自己如此辛辛苦苦究竟是为了什么，如果你想改变，就试着了解压力吧。寻找压力的种种成因，为扑朔迷离、捉摸不定的压力画像，澄清了我们对压力的迷惘之处，让折磨我们的压力毒蛇从林莽之中现形，让我们对压力的全貌和运转的轨迹有较为详尽的了解。中国的兵法上有句古话，叫"知己知彼，百战不殆"，当你认识到了你所承受的压力的强度和种类，在某种程度上你就已经钉住了压力毒蛇的"七寸"。

明白了压力的起承转合，找到了适合自己的减压方式之后，你的呼吸就会轻松一点，胸中的块垒也会松动出些许的空隙。坚持下去，持之以恒，你就会一寸寸地脱离沉重的压力，把自己成功地拔出来。也许在某一个清晨醒来的时候，你就会突围而出，像蝴蝶一样飞舞。

22.
紧张

毕
淑
敏
文
集
〈

　　一个有趣的游戏。两人一组，其中一人会拿到
一些字条，上面写着字，表达的都是人们常有的
一些情绪，比如高兴、漠不关心、嫉妒、疲倦已
极……

　　拿到字条的人，要按照字条上的指示做出相应
的表情和行动，让另外的那个人猜。

　　例如，甲看了看手中的字条上的字迹，沉思片
刻后开始表演。先是豹眼圆睁，辅以一个箭步上
前，右手揪住假想中的某人脖领，同时挥出弧度漂
亮的左钩拳，击中那人腮帮……

　　乙在目睹了甲的表情和行动以后，也沉思片
刻。然后大声说出他解读出的对方情绪——愤怒。

　　甲颔首道："基本正确。不过，我手中的字条上写的是'狂怒'。"

乙说："嘿！如果是狂，你的这个表达等级味道尚欠浓烈。倘若换我，一般的愤怒就已达到这个档次。真到了狂怒阶段，还要加上怒发冲冠、拳打脚踢、暴跳如雷……"

这个小游戏，说明人和人之间并不是很容易沟通的，人们通常按照自己表达情绪的方式来理解他人。

但人和人之间仍是可以沟通的，需要语言的帮助和长久的磨合。程度差异很大，可以一叶知秋，也可能盲人摸象。

我很喜欢玩这个游戏，可以更深刻地感知他人的内心，察觉人群的异同。正是这种无休止的差异，造成了人的丰富多彩和无数悲欢离合。

某次，我遇到了一位有趣的合作者，他是一位老板。

他拿了字条开始表演，目光炯炯，眉头紧皱，身板僵直，双手攥拳。

我绕着他走了三圈，思考不出他这番表演的内涵，求助道："你能不能示意得再明确些？"

他是个好商量的人。思忖片刻后，加上了一个表情：嘴角紧抿……

我还是百思不得其解，只得求饶道："猜不出猜不出。我投降，快告诉我底牌吧。"

他把字条递给我，上面写着"焦虑"。

想想也有道理，某些人焦虑的时候就是这副沉闷苦恼的模样。

第二轮测验开始。他看了一眼手中新的字条，开始表演：目光炯炯，眉头紧皱，身板僵直，双手攥拳。

我丧气地说："不行。再具体些。"

他就又加了一个表情：嘴角紧抿……

天啊，我一筹莫展，甚至想，这一堆测验的字条里不会有两张"焦虑"吧？

我说："完了，我弱智了。请你告诉我吧。"

他手心摊开，我看到了谜底"沮丧"。

"沮丧是这个样子的吗？"我不服气地说，"你的表演有问题，沮丧的时候目光通常是低垂的。"

"但是，我沮丧的时候就是如此，聚精会神的。"他很诚恳地说。我只得服输。是啊，你不能否认有些人屡败屡战，永远目光炯炯。

再一次轮到他表演的时候，我格外当心。看到他拿了字条，踌躇了一下，然后胸有成竹地开始演示。

目光炯炯，眉头紧皱，身板僵直，双手攥拳。

看到我的茫然愁苦的模样，他善解人意地加上了一个补充动作：紧抿嘴角……

我极快地调侃道："干脆杀了我。我无法破译你的密码。"

这次轮到他吃惊了，说："我有那么神秘吗？其实，这一次，我表达的是一种很平和的情绪'安静'！"

我几乎昏了过去，说："您的大驾尊容居然能称得上是安静？我想，当你自以为安静的时候，周边的人绝不敢打扰你。"

说者无心，听者有意。他静默了片刻，一拍大腿说："哦，你这样一讲我就明白了，为什么我以为自己温和的时候，大家依然说我严厉。"

那一次令人难忘的游戏结尾有些苦涩的味道。因为我的这位朋友，无论他拿到写着怎样字迹的字条，他的表情都像一个模子里刻出来的。目光炯炯……嘴角紧抿……甚至当"爱情"出现的时候，他也如此刻板和冷峻。

我问他："你成家了吗？"

他说："成了。但是又散了。"

我说："还打算成吗？"

他说："暂时没有打算。"

我说："没有了好。"

他说："你为什么这样说？"

我说："我的意思是，你若不把表情修改一下，即使有了女朋友，也会莫名其妙地走开。"

我后来同这位老板详细地探讨了他的表情。他说："我一个当老板的，哪能事事都流露在脸上，让人看个透明？我这是深沉。"

我说："表情的僵化和不动声色并不能画等号。对家人和对谈判对手，哪能一样？周恩来可算是大家，他的表情就丰富得很，并非整天板着阶级斗争的脸。咱们常常羡慕外国的老板当得潇洒，其中重要的一点就是他们真实，当怒则怒，当喜则喜。况且，老板也是人，也有七情六欲。事业做得好，人也要活得自然、自在。"

后来，我和这位老板进行了比较深入的谈话，才明白在他那千篇一律的面具之后，准确地说，既不是焦虑，也不是沮丧，当然更不是安静，而是紧张。

紧张，是现代人逃脱不掉的伴侣。

　　紧张的时候，我们的心跳加快、瞳孔变大、呼吸急促、血流湍急……我们的思索急迫而锋利，我们的行动敏捷而有力。

　　"紧张"这个词，很多年以前被写进一所著名大学的校训。我想，那时它一定是有的放矢，有着历史的必然性和辉煌的功绩。

　　时代在发展，如今，当我们不再从战火和铁血的角度看待紧张，紧张就有了更多值得探讨的意义。

　　短时间的紧张很好，会使我们焕发出非凡的爆发力。不过，世界上的事情，一蹴而就的肯定有，但终是有限，大量的成功孕育在日积月累的跋涉。紧张是一百米短跑，成长则是马拉松比赛。长久的紧张如同长久的鞭策一样，是不能维持的，它会导致反应的迟钝。紧张可以应对一时，却无法永恒。

　　紧张是一种无休止的激动，是一种没有间歇的高亢，是一种针插不进水泼不进的致密，是一种应急和应激的全力以赴。

　　你见过没有起落的江河吗？你听过没有顿挫的乐曲吗？你爬过没有沟崖的山峦吗？你走过没有悲喜的人生吗？

　　紧张是面具。紧张的下面潜伏着怎样的暗流？换句话说，什么导致我们长久的紧张？

　　紧张的人，思维是直线而不是发散的，因为他的注意力太集中了，心无旁骛。当我们的视野中只有一个目标的时候，它是收束和狭窄的（不是指远大的唯一的目标，是指运筹帷幄的策略）。我们的显意识之下是深广的潜意识。当紧张的时候，理智和经验就占据了上风，而人类在长久的进化中所积累的本体感觉被抑制和忽略。所以，紧张的人很容易累。因为他是在用5%的能力负载着100%甚至更高的压力，怎么能不累呢？

紧张的人其实是不安全的。他处于风声鹤唳之中，对自己的位置和处境有深深的忧虑。他大张着自己所有的感官——眼睛瞪着，耳朵张着，手脚绷紧，呼吸也是浅而快的，他的全身就像一架打开的雷达，侦察着周围的一草一木。

他因袭着以往的重担，关注着周围的一举一动，无法平和地看待他人和看待自己。紧张的人睡眠通常不良，因为在睡梦中，他也不由自主地睁着半只眼睛。

打个比喻，什么动物最易于紧张呢？通常一下子就会想起老鼠、兔子、麻雀之类的，大都是弱小的、谨慎的、没有强大的防御能力的生灵。如果是老虎、狮子、大象，甚至蟒蛇，我们想起它们的时候，可以觉得它们懒洋洋或佯装安宁，但我们不会浮现出它们是紧张的这样一个印象。在突袭猎物的时候，它们快则快矣，狠则狠矣，你可以痛恨它，但它依然是从容的，它们不紧张。

再举南极洲的企鹅为例，这些穿西服的鸟似乎也没有伶牙俐齿可供攻伐猎物与保障自身，胖墩墩的战斗力不强，但是，它们毫无疑问地不紧张。不是来自它们自身的强大，而是没有人类的迫害和袭扰，它们尚不知"紧张"为何物。

所以，紧张不是强大，只是懦弱的一件涂着迷彩的旧风衣。

紧张往往使我们看问题的角度趋向负面。因为不安全，所以防御感强，假如在判断不清的时候，首先断定对方是有敌意和杀伤力的，考虑自己怎样防卫、怎样规避、怎样逃脱……紧张会使我们误会了朋友的友谊，曲解了爱情的试探，加深了创伤的痛楚，减缓了复原的时间。在紧张的时刻，决定往往是短期和激烈的。

紧张的时候，我们无法清晰地聆听到真实的声音，我们自身澎湃的血液主导了我们的听觉。我们看到的可能并非真实的世界，因为自身的目光已经有了某种先入为主的景象。我们无法虚怀若谷地接纳他人的意见，因为自己的念头依然盘踞在心。我们难以深刻地反省局限，因为注意力全然集中对外，内心演出了一场"空城计"……紧张如同凹凸

镜一般，真实的世界变形了，让我们进入高度的戒备状态。

紧张的人，是很难和别人和睦相处的。紧张的人，通常落落寡欢慎言忧郁。紧张的人，孤独寂寞。他们可以置身于灯红酒绿、车水马龙当中，但他们的心多疑多虑，缩成一块石头。

人们很推崇一个词——大将风度，我以为其中极重要的组成部分就是不紧张。每一行真正的高手，几乎都是举重若轻、温柔淡定的。草船借箭诸葛空城，功夫在诗外，无论形势多么危急，他们都成竹在胸。无论己方多么孤立，他们胜券在握。哪怕局面间不容发，他们都眼观六路、耳听八方，大将不紧张。

　　你要是一个穷人，说钱的作用是有限的，人们就不信你，以为是嫉妒。你要是一个富人，说同样的话，人们不但信你，还称赞你高风亮节。国人有个习惯，要想评判一件事或是一个物品，你必得先拥有它，如欲评之，必先享之。

　　这话乍一听，挺对的。你想啊，要是一个饭店的大师傅，自己面黄肌瘦的，人们怎么能相信他的烹调手艺？要是一个教书的先生，连自己的孩子都管教不了，人们还敢把学生送到他的私塾里去吗？

　　但细一想，又有些不对，世上的事有许多是我们终生所尝试不了的。爆炸的世界每天向我们提供多少信息，新诞生的行业令人目不暇接。身体力行乃是前工业社会慢节奏的标本。古代只需行万里路、读万卷

书就可以成为一代文豪的坯子。今天你就是钻进航天飞机，只怕也看不全天下的大事。飞速旋转的世界使任何人都只能是某一领域的权威，对其他的领域只能瞠目结舌。

因为当过多年的医生，总记得一句"久病成医"的话。

仔细想来，这话是有一定的道理。你要是得过感冒，下次再得同样病的时候，就要有经验得多。什么时候该吃药，什么时候该发汗，终是比没得过此病的人要沉着。

但又一想，不对了。感冒并不是疾病的全部，有许多更凶险的疾患是不可以一一尝试的。比如癌症，你如果不幸染上了，是听一个得过此病的病人的话，还是听医生的话？那个医生是没得过癌症的。

我想绝大多数人还是要以医生的话为准。比如中国妇产科的泰斗林巧稚女士，并不曾结婚生子，但她赢得了无数病人的敬重，因为她凭借的是科学。

久病的确可以使人"成医"，使他成为他那一种病现身说法的"活标本"。假如他是一个爱钻研的人，也许还会有所造诣。但是疾病的世界林林总总，并不是只局限于你所罹患的这一种或几种，任何人都不能把天下的疾病全搜罗在身。一个好的医生不是得病得出来的，而是经过长期的学习历练出来的。

假如一个人不断得病，那么等待他的命运就不是"成医"，而是"久病成灰"了。

说了许多关于生病的话，只缘有感于国人太注重自身的经验，过分相信体验过此事的人的一面之词。更有甚者，竟到了假如你没有经历此事，就取消你的发言权的地步。

要取得评判钱的资格，自己必得有许多钱；要探讨女人的心理，必得有情感上的罗曼史或者干脆就是"妻妾成群"。

比如一部电影好不好看，我们总是太相信那个已经看了电影的记者或是评论家的话，哪怕这一次上了当，下一次还信他。国人多善良，以为上一次是他走了眼，这一回大约改好了吧？其实不然。他虽说吃过葡萄，但是说错了。即使下次他吃的是梨，我也不信他描述的梨的滋味，而是宁可听一个没有吃过梨，但是研究过梨的学者的报告。

这个世界上以前发生的事少，现在发生的事多，我们不可能事必躬亲，可我们要对很多事情拿出自己的看法。听谁的？亲历过此事的人的话，可听，但不可全信。古人就有"不识庐山真面目，只缘身在此山中"的教诲，尤其是那个人的品行不好，说的话就更要打折扣了。

这看法大概偏颇。但现代社会的节奏太快，经验

不但要从自身的经历取得，更要从研究过此事的专家
那里获得。

一个得过最多种疾病的人，医学知识也要少于医
学院最蹩脚的学生。

当然有关医生责任心的问题，不在此例。

毕淑敏
文集
〈〉

　　迪斯尼版的《森林王子》，描写一个人类婴孩巴克利，偶入大森林，被野狼阿力一家收养，在大熊巴鲁、黑豹巴希拉等动物的呵护与培养下，成为友善、勇敢、智慧、快乐的少年，描绘了一幅人与动物在大自然的怀抱中和谐相处的图画。

　　片中各种动物的造型和举止，颇符合物种个性的特征，险而不惊。特别是蟒蛇与巴克利的斗智斗勇，美妙的搏斗场面既让人想起蛇那油光水滑、阴险狡诈的秉性，被它的盘旋晕得眼花缭乱，又让人在紧张中怡情，充满了机警的悬念。大熊巴鲁为了拯救巴克利，与森林王老虎谢利展开了殊死搏斗，以至昏倒在地。黑豹巴希拉误以为它已阵亡，心情激动地致了一段感人肺腑的悼词。大熊巴鲁慢慢苏醒后躺在地上，一动不动地倾听着，在庄严肃穆中引出人们啼笑皆非的泪水。

巴鲁复苏之后，开始教导人类的孩子巴克利如何在大自然中生活。那只载歌载舞的憨厚大熊反复吟唱着一句话——"让我们——得到——最单纯的生活必需品……"

真是令人拍案叫绝的真理——最单纯的生活必需品——由一只熊告诉我们。

人想活着，就必然有一些必不可少的物件陪伴左右。几年前，我见到一个乡下孩子和一个城里孩子在做游戏。一张卡片，正面写着问题，背面写着答案。双方看着问题回答，对与不对，以卡片为准。那题目是——生命存活的三大基本要素是什么。

城里孩子说，这还不简单吗，就是脂肪、蛋白质和碳水化合物呗！

乡下孩子说，啥叫脂肪？不就是猪大油吗？人没有猪油那些荤腥吃，能活。蛋白蛋是啥？不就是鸡蛋吗？人吃不上鸡蛋，也可以活的。碳水化合物是啥东西，俺不知道。俺只知道人要活着，最要紧的是要有水、火柴和粮食！

那张硬硬的精美卡片后面的答案，判定城市孩子的回答正确。但说心里话，我更认为乡下孩子的答案率真和智慧。

　　纵观人类的历史，我们的生活必需品的名录，就像银行信用卡恶意透支的黑名单，越来越长了。一千年前，假如我们外出，真如那个乡下孩子所讲，只需带上水和干粮，再携一把火镰，就可走遍天下。现在呢，要有旅游鞋、休闲装、盆、碗、帐篷、净水器、驱蚊油、防晒霜、卫星电视、电话机……

　　这应该算是进步吧，只是大自然不堪重负了。养育一个现代人的物资，足够当初养活一百个一千个原始人。

　　大熊的箴言里，还有一个含义——单纯。单纯是一种很真实、很透明的东西，我们已经在进化中将它忽略和玷污。比如水吧，人体的细胞所需要的，是纯净的自然之水，而绝不是啤酒、可口可乐和掺了色素的某种混浊液体。人们先是把水弄得很复杂，然后再把脏水过滤。当人饮着这种再生的清水时沾沾自喜，以为这是文明和进步，其实比古代人的饮水质量还差着档次。

　　再如空气，人的肺所需要的，是凛冽的清新的山谷森林之风，而绝不是被汽车吞吐了千百次的工业废气。人们聚集在城市里，在空气中混淆进数不清的杂质，然后摇摇头说，这样的地方太不利于健康了。于是开着汽车，满世界找青山绿水的地方，心安理得地住下来，把新的污染带到那里。

人体本来应该简洁明确地表白自己的内心，这样会避免多少误会，节约多少人生，增进多少了解，加快多少速度啊！但是，不。人们变得虚伪客套、声东击西、云山雾罩，并尊称这些技术技巧为礼仪和外交，让世界变得遮遮盖盖、诡谲莫测。于是，无数人在这面无法超越的黑斗篷前终生猜谜，并以此形成许多新的职业和窥探的癖好。

也许我们可以对自己精神和物质生活中所需物品的庞大分子分母，来一个约分。本着单纯和必需的原则，把太繁多的精简，把太复杂的摈弃。必需的东西越少，我们的脚步就越轻捷。佛家有一句话，叫"无挂碍故，无有恐怖"，不妨借用来，少需要物者少烦恼。因为必需少，所以受限轻，人就获得了更快的行走、更高的飞翔。

单纯这件事，说起来简单，做起来不容易，因为世界上有许许多多的杂质，无时无刻不在腐蚀着单纯。人们往往以为单纯只存在于童真，如果你在晚年还保有单纯，如果不是太傻，就是天赐的一种好运气，保佑你未曾遭遇污浊侵袭，所以依旧清澈。其实，最有力量的单纯，是历练过复杂之后的九九归一。以不变应万变，自身有过滤化解和中和澄清的功能。任你血雨腥风，我自静若处子，心永远清清的，呼吸永远轻轻的……

25

为生命找到意义

　　古代人常常专注于最基本的生存需求。日常生活天然地具备了提供精彩意义的能力。人们的生活是如此接近土地，每个人都毫不怀疑自己是大自然的一部分。他们耕地，播种，收获，烹调，生养小孩子，然后生病和死亡，最后回归泥土。他们很自然地展望未来，觉得未来是如此清晰，那就是——吃饱饭，子子孙孙地繁衍，实现一轮又一轮的更迭，如同能够每日每年看到的大自然的循环。他们对日月星辰、山川河流这类庞然大物有强烈的归属感，他们深深明白自己是家庭和族群不可或缺的一部分。对以上这种基本存在，从来不曾有过问号。

　　是啊，有谁能对一个埋头苦干的农夫字斟句酌地问，你这样辛苦是为了什么呢？他一定头也不抬地继续干活，对他来说，家里的妻儿老小和他自己的口粮，就在这劳作中生发着，这难道还用得着问吗？

可是，今天，这些意义消失了。都市化、工业化，让生活中少了和大自然血肉相依的关联。我们看不到星空，我们每个人几乎都脱离了世界的基本生命链。你焊接电脑上的一块线路板，你在股票市场卖出买进，可这和意义有什么关联呢？

我们有太多的时间提出更多的问题，我们必须面对自由的无情拷问，可是我们失去了参照物。工作不再提供意义，一点儿创造力也没有，生养小孩也没有了意义。世界人口爆炸，也许不生养更有意义。

生命的意义是非常重要的心理架构，与每个人都有非常重要的关系。伟大的心理学家荣格说，我的病人大约有三分之一并不是罹患了任何临床可以定义的疾病，而只是因为生命没有意义，没有目标。

这个问题到了心理学家法兰克那里，有了升级版。他说，最少有百分之五十的来访者有这种问题——觉得生命没有意义。

萨特说过，人是一种徒劳无益的热情。我们的诞生毫无意义，死亡也没有意义。但萨特这样说完之后，在他自己的小说中又明确地肯定了意义的追求，包括在世界上寻找一个家、同志之谊、行动、自由、反对压迫、服务他人、启蒙、自我实现和参与。

　　在现在的情况下，为生命找到意义，就成了非常
紧迫的任务。每个人要有一个自我的意义系统，包括
行为准则：勇敢、高傲的反抗、友好的团结、爱、尘
世的圣洁等。

26.

大部分人都想过自杀

文　毕
集　淑
︿　敏
一

　　我相信，大部分人都想过自杀，比如我自己。
我并不觉得这很奇怪，人人生命中都可能有这样一
刻，我们在考虑现在的生活还值不值得过下去。它
出现的频率比设想的要多得多。很多人经常在考
虑，第二天早上我还要不要起床？要不要面对如此
繁杂的世界，延续如此恶劣的情绪？

　　有一阵子，电视台、广播电台采访我的时候，
总是问我：听说您年轻的时候，在西藏，曾经想到
过自杀？

　　我说，是啊，非常认真地想过。

　　主持人说，可以详细地讲讲吗？

　　我说，这次就不说了吧？我已经在别的节目里
说过了。

　　主持人坚持说，这一段非常重要。连您这样的人都想过自杀，可见这样想的人太多了。可是大家一般都不愿意说。我只好又说一遍。人人都说西藏与灵魂有关，我觉得西藏与自杀有关。

　　台底下，主持人私下对我说，自己也曾想过自杀，只是没有勇气告诉别人。

　　我觉得连一次自杀都没想过的人，肯定凤毛麟角。自杀其实就是一种极度的退避和逃跑。因为无处可逃了，最后干脆把生命也彻底抛离。

　　当我年轻的时候，很多次想过自杀，甚至觉得这是一个最后的法宝。因为有了这样一个万无一失的法宝，反倒不再害怕生活的残酷。我现在很少想到自杀了，因为我越来越感到生命是如此的宝贵，我要好好地度过。即使是悲惨和疼痛，也证明生命依然灵敏地感知着、活跃着。

　　我接触过很多想要自杀的人。其中，有的人以一种"救世"的期待来毁灭自己的生命，怀抱着荒诞的希望，以为通过放弃自己的生命和幸福就可以保障和挽救其他人，尝试以自己的灾难和毁灭给别人带来平安。这无疑是非常不现实的。

　　自杀的人，诚然是可怜的。但究其目的，除了戕害自己以外，还有很多人，是希望以自己的死来惩戒他人，来挽救某种事态的颓势。我们自然不能

对死者苛求更多，但这种死亡达不到目的是显而易见的。如果你确实无法忍受生的艰难，你要选择死亡，这是你的自由。但你企图以你自己的死来达到某种目的，就是临死还生活在迷幻之中。

你要想达到某种目的，只有靠自己的奋斗。想用自己的死启发别人来为你的理想而努力，是偷懒和愚蠢的一厢情愿。不要把自己都无力面对的现实黏附在他人身上，那是彻头彻尾的执迷不悟。

27.

心境防割

毕　文
淑　集
敏　（
　　一
　　）

　　旅游的时候认识了一对夫妻，职业是制作防割手套。我问，这手套坚硬到何种程度呢？他们笑而不答，说，回到北京后，你到我们那里参观一下就知道了。

　　第一眼晤见防割手套，平凡到令人垂头丧气，和普通车工、钳工戴的白线手套没有任何区别，如果一定要找到不同，就是价钱要贵出很多。也许看出了我的不屑，男主人抽出一把寒光四射的匕首握在手中说，你戴上手套，然后，来夺我的刀。细端详，那刀尺把长，尖端像西班牙人的鞋子弯弯翘起，开了刃，血槽深深。我胆战心惊道，这刀可以杀死一只恐龙了，不敢。他又说，那么我戴上手套，请你来割我吧。我说，那干脆就滑到了犯罪边缘，本人奉公守法，恕我也不能从命。他无奈，只有亲戴手套，自己来割自己了。

戴上防割手套的左手有些臃肿，右手执刀杀气腾腾。晶光闪烁的长刀劈下的那一瞬，我骇得紧闭了眼睛。等到哆哆嗦嗦打开眼帘，以为看到的是皮开肉绽、血花翻飞，不想雪白的左手套上只有一道淡淡的痕迹。主人优雅地舒了几下掌，如同少妇的额头被抹上了速效去皱霜，痕迹很快就平复了。

大觉神奇，不由得一试。戴上手套，用刀锋在指掌上反复切割，先轻后狠。那真是一种奇妙的感受，你能感觉到薄刃的锋芒和杀伐的重量，然而它如溪水掠过，毫发无伤。主人告诉我，看似普通的棉纱里掺进了五百根高弹钢丝。临走的时候，主人送我一副防割手套，笑道，从此你可空手夺刃了。

感叹防割手套的神奇，不由得想到，倘加上十倍百倍之量，用千万根钢丝织就一件背心，披挂在身便心硬如铁了，再没有什么情感的剑戟能刺出血洞，再没有什么理智的矛斧能劈裂成沟壑。享有一颗风雨无摧、刀枪不入的心，岂不万般惬意！

有一段时间，我出门时书包里常带着防割手套，期望着碰上一个行凶的歹徒，冲上去见义勇为又能保全须全尾。然世事虽纷杂，运气却太平，梦想竟无法成真。坚固的防割手套渐渐蒙尘，如同骁勇的大将空白了少年头。终有一天，我在乡下干活的时候，想到委它以新任。花圃中月季正香艳，这是最渴望修剪的花卉。此花盛开之后如不从瓣下第三分叉处刈除，就会花渐小，香渐远，魅力大失。只是那些月季的锐刺尽忠职守，如同美女的贴身保镖虎视眈眈。我手笨，每一回都被扎得十指痛痒。

连刀剑都能阻挡，还怕小小的荆棘吗？我戴上防割手套，所向披靡地抓起了月季花茎。顿时，双手像被蜂群包围，数不清的小刺同时扎入肌肤。慌乱摘下手套查看，七八处鲜血淋漓，实为我充任业余园丁以来受伤最惨痛的一次。

原来，这特制手套能够防止长刀短剑的切割，却并不能阻止细小毛刺的揳入。钢丝绞结的缝隙是小针出入自由的高速路。

那天，我贴着大约十张创可贴完成了剪枝工作，一边挥舞园艺剪一边想，悲哀啊，看来十万根钢丝也无法保证我们的心境不受损毁。更不消说，人是不能每时每刻都裹在钢丝里面的，那样我们将丧失对人间百态的灵敏触碰和对风花雪月赏心悦目的叹息。

你想葆有你对世界的好奇和快乐吗？你必须除去心的伪装，敞开你的心扉。心必将一生裸露着，狂风为她梳洗，暴雨为她沐浴。心没有蓑衣，也没有斗

笠。心会受伤，心也会流血，这就是心的功能啊。

把心藏在钢铁中，且不说钢铁也是有缝隙的，就算心境防割，心再也不能活泼地游弋，那才是心最大的哀伤呢。关于这种悲惨的境况，古语中有一个恰如其分的词，叫作"心死"。

一个心理健康的人，心可以流血，自己就能撕下衣襟止血；心可以撕裂，自己能够飞针走线地缝合。他可以有累累的创伤，更会有创伤愈合之后如勋章般的痕迹。

28.

爱的回音壁

毕淑敏

文集

〉

现今中年以下的夫妻，几乎都是有一个孩子，关爱之心，大概达到了中国有史以来的最高值。家的感情就像个苹果，姐妹兄弟多了，就会分成好几瓣儿。若是千亩一苗，孩子在父母的乾坤里便独步天下了。

在前所未有的爱意中浸泡的孩子，是否感到莫大的幸福？我好奇地问过。孩子们撇嘴说，不，没觉着谁爱我们。

……

我震住了。一个不懂得爱的孩子，就像不会呼吸的鱼，出了家庭的水箱，在干燥的社会上，他不爱人，也不自爱，必将焦渴而死。

可是，你怎样让由你一手哺育长大的孩子懂得

什么是爱呢？从他的眼睛接受第一缕光线时，已被无微不至的呵护包围，早已对关照体贴熟视无睹。生物学上有一条规律，当某种物质过于浓烈时，感觉迅速迟钝、麻痹……

寒霜陡降也能使人感悟幸福，比如父母离异或是早逝。但它是灾变的副产品，带着天力人力难违的僵冷。孩子虽然在追忆中明白了什么是被爱，那却是一间正常人家不愿走进的教室。

孩子降生人间，原应一手承接爱的乳汁，一手播洒爱的甘霖，爱是一本收支平衡的账簿。可惜从一开始，成人就间不容发地倾注了所有爱的储备，劈头盖脑砸下，把孩子的一只手塞得太满。全是收入，没有支出，爱沉淀着、淤积着，从神奇化为腐朽，反而让孩子无法感到别人是爱他的。

我又问一群孩子，那你们什么时候感到别人是爱你的呢？

没指望得到像样的回答。一个成人都争执不休的问题，孩子能懂多少？没想到，孩子的答案明朗、坚定。

我爸下班回来，我给他倒了一杯水，因为我刚在幼儿园里学了一首歌，词里说的是给妈妈倒水，可是我妈还没回来呢，我就先给爸爸倒了。我爸只说了一句，好儿子……就流泪了。从那次起，我知道他是爱我的。光头小男孩说。

我给奶奶耳朵上插了一朵花，要是别人，她才不让呢，马上就得揪下来。可那是我插的，她一直戴着，见着人就说，看，这是我孙女打扮我呢……另一个女孩说。

我大大地惊异了，讶然这些事的碎小和孩子们铁的逻辑，更感动于他们谈论里的郑重神气和结论的斩钉截铁。爱与被爱高度简化了、统一了。孩子在被他人需要时，感到了一个幼小生命的意义。成人注视并强调了这种价值，他们就感悟到深深的爱意，在尝试给予的同时，他们懂得了什么是接受。爱是一面辽阔光滑的回音壁，微小的爱意反复回响着、折射着，变成巨大的轰鸣。当付出的爱被隆重地接受并珍藏时，孩子终于强烈地感觉到被爱的尊贵与神圣。

天下的父母，如果你爱孩子，一定让他从力所能及的时候开始爱你和周围的人。这绝非成人的自私，而是为孩子的一世着想的远见。不要抱怨孩子天生无爱，爱与被爱是铁杵成针、百年树人的本领，就像走路一样，需要反复练习，才会健步如飞。

如果把孩子在无边无际的爱里泡得口眼翻白，早早剥夺了他感知爱的能力，育出一个爱的低能

儿，即使不算弥天大错，也是成人权力的滥施，或许要遭天谴。

在爱中领略被爱，会有加倍的丰收。孩子渐渐长大，一个爱自己、爱世界、爱人类也爱自然的青年，便喷薄欲出了。

29.
平安扣

毕淑敏
文集
〔二〕

　　女友送我一只翡翠平安扣，红丝绳系着。它碧绿地沉重地坠在我的胸口，澄清中透出云雾状的"棉"，水色迷蒙。扣的正中心有一个完整的孔，仿佛一支竹箫横断。清洌的空气在扣中穿行，染出一缕青黛。

　　我问友人，它是真的翡翠吗？

　　友人说，只是经过化学处理的石头而已。

　　我把平安扣摘下来说，既然是假的，那还有什么意思呢？我看，这平安扣倒很像一枚铜钱。

　　朋友抚摸着平安扣说，它和铜钱实在是大不相同。铜钱外圆内方，上书"××通宝"的字样，内芯尖锐刻板，实在是锱铢必较之相。平安扣不着一字，外圈是圆的，象征着辽阔天地混沌无限。内圈

也是圆的，祈愿我们内心的平宁安远。在它微小的
空间里，蕴含了整个壮丽的大自然。它昭示当你的
心与天地一致时，便有了伟大的包容与协调，锁定
了你的平安。

我叹了口气说，讲得虽好，但世事维艰，我们
脆弱的心，在历经沧桑之后，怎样才能清风朗月圆
润如初？

友人陪着我叹气说，是啊！没人能承诺我们一
生永远晴天，没人能预知草莽中潜藏着毒蛇，没
人能勾勒出命运的风刀霜剑，没人能掐算出何时
将至大限……从这个意义上讲，纵用尽天下翡翠，
打凿出如泰山那般大的一枚巨型平安扣，悬挂在星
辰间，也是没有丝毫用处的。然而，外界虽不能把
握，内心却可以调适。任你弱水三千，我自谈笑风
生，谁又能奈何我们呢？你我也许不知道，命运将
在哪一个急转弯处踉跄跌倒，但我们确知，即使匍
匐在地，也依然强韧地准备着爬起……

我把石头雕成的平安扣重又挂在颈上。

友人说，送你的翡翠是假，平安的祝福是真。
每个人，都是自己的平安扣啊！

　　某天，我看到工作人员正在清理一堆小山似的硬币，好像是哪个孩子当场砸碎了他的宝贝扑满。我很奇怪，心理机构不是超市银行，似乎不应该搜集如此多的硬币。助手们都很尽职，平常绝不会在业务场所处理私事，看来这些硬币和工作有关。我实在想不明白：硬币和心理咨询有何关系？

　　助手看我纳闷，就说，这是一个孩子交来的预约咨询费用。我一时愣怔，心想，孩子的钱，是不是应该减免？助手看我不说话，以为我是在斟酌钱的数量，就说，这是那个孩子所有的钱，我打算自己帮她补足。

　　我问，钱的事，咱们再说。我想知道孩子是跟着谁来的。

按照惯例，孩子的问题，都是父母发现后焦虑不安地领来求助。

助手说，这孩子是自己来的，用压岁钱来付费，父母根本不知道她要来看心理医生。助手说着，把她的登记表递过来。

工工整整的字迹填写着：张小锦，女，13岁，本市××中学初中一年级学生……

见到张小锦的时候，我吃了一惊。本以为这么敢作敢为挺有主意的孩子一定人高马大，却不料她十分瘦小，穿橙色校服蜷在沙发中，好像一粒小小的黄米。

我说，你遇到了什么事情，需要我们的帮助？

瘦小的张小锦说起话来嗓门挺大，音调喑哑，有点像张柏芝，仿佛轻巧的身躯里藏着一根摔裂的长笛。张小锦咬牙切齿道：我请你帮助我——除掉我妈的朋友！

我着实被吓了一跳。这个开头，有点像黑帮买凶杀人。我说，你很恨你妈妈的朋友？

张小锦说，那当然！请你千万不要把我的话告诉任何人。你要发誓，永远不能说。

这可让我大大地为难了。就算她是一个孩子，如果她图谋杀人，我也要向有关机构报告。如果我拒绝了张小锦的要求，她很可能就拒绝和我说知心话了，帮助便无从谈起。我避开话锋，慢吞吞地回答，你能告诉我，你说的"除掉妈妈的朋友"是什么意思？

"除掉"通常是血腥的。警匪影片中将要杀死某个人的时候，匪徒们会窃窃私语，吐出这个词。张小锦回答说，我的"除掉"就是让这个朋友离开我家！不要和我妈没完没了说个不停，让我妈多拿出一点时间来陪我，遇事别老听这个朋友的，也和我聊聊天，也听听我的想法……

原来是这样！在张小锦的词典里，"除掉"并不是杀死，只是离开。我稍稍松了一口气，说，张小锦，看来你妈妈和你交流不够，你对此很有意见啊。

张小锦遇到了知音，直起身板说，对啊！我妈有什么心事，只和朋友说，不和我说。我们家的事，是和她朋友关系密切啊，还是和我密切啊？

张小锦黑亮的眼珠凝神盯着我，目光中带出急切和哀伤。

我立即表态，你们家的事，当然是和你关系最密切了。

这让张小锦很受用，她说，对啊！那个朋友一天到晚老缠着我妈，让我妈离婚，破坏我们家的和睦！说着，她长长的睫毛润湿了。我递过去几张纸巾，张小锦执拗不接，只是不停地眨巴眼睛，希望眼帘把泪水吸干，睫毛就聚成几把纤巧的小刷子。

看来张小锦家充满了矛盾和危机，她妈妈的朋友也许正是罪魁祸首。我说，小锦，是妈妈的朋友让你们家庭变得不幸福了？

张小锦一个劲儿地点头，正是！

我说，妈妈的坏朋友具体是个怎样的人？

张小锦突然有点踌躇，说，其实这人也不算太坏，逢年过节都会给我买礼物，是我妈的闺密。

晕！我一直以为妈妈的朋友是个男人，甚至怀疑他就是破坏张小锦家的第三者。现在才知道，朋友是个女的！有一瞬间，闪过张小锦的妈妈是不是个双性恋的念头。要不然，怎么两个女人之间的关系会引发张小锦这样大的恼怒！

咨询师的脑海就像一台高速运转的电子计算机，来访者的任何一句谈话，都会在咨询师脑海中引发涟漪。一千种可能性像漂流瓶在波涛中起伏，你不知道哪一只瓶内藏着来访者心中的魔兽。也许你以为是症结所在，穷追不舍，紧紧跟踪，结果不过是一朵七彩泡沫。也许你忽视的只言片语，却潜藏着最重要的破解全局的咒语。这一次，我的方向差了。

我想起了老师的教导：你不能以自己的主观猜测代替事实的真相。你永远不能跑到来访者的前面去，你只能跟随……跟随……还是跟随。

我调整了心态，对张小锦说，你妈妈和女友之间的关系，让你嫉妒。

张小锦不解地重复，嫉妒？我好像没有想到这一点。

我说，以前没想到不要紧，现在开始想也来得及。

张小锦偏着脑袋想了一会儿说，好吧，你说我嫉妒，我承认。人家都说女儿是妈妈的小棉袄，可我妈妈硬是把我当成了破大衣，心里有话都不跟我讲。

我说，你妈妈的心里话是什么呢？

这一次，张小锦反常地沉默了，很久很久。如果我不是一个训练有素的心理师，也许我就睡着

了。我等待着张小锦，我知道这些话对她一定非常重要，讲出口又非常困难。

终于啊终于，张小锦说，哼！他们都以为我不知道，他们合伙儿来骗我。我也愿意装出一副傻相，让他们以为我不知道。他们自以为知道一切，其实我在暗里比他们知道得更多！

简直就是一个绕口令！我彻头彻尾被这个有着沙哑嗓音的女生弄糊涂了。我要澄清，在她的词典里，"他们"——是谁？

是我爸爸，我妈妈，还有那个和我爸爸相好的女人。当然，还有我妈妈的闺密……张小锦的话匣子终于打开了。原来，张小锦的爸爸有了外遇，和另外一个女子暧昧，被放学回来的张小锦撞见了。从此，张小锦见了爸爸不理不睬，爸爸反倒对张小锦格外好。张小锦决定不把这件事告诉妈妈，因为那样家就很可能破碎。张小锦知道那些父母离婚的同学基本上都很自卑。张小锦心想，只要妈妈不发现这件事，家庭就能保全。她一次又一次地帮着爸爸遮掩，让妈妈蒙在鼓里。然而，妈妈还是察觉到了某种蛛丝马迹，开始敏感而多疑。张小锦很怕出事，就故意胡闹，分散妈妈的注意力，实在没法子了就生病。无论妈妈多么在意爸爸的一举一动，只要张小锦一发烧，妈妈就把所有的注意力都放到了张小锦身上，无暇他顾，爸爸的危机就化解了。可爸爸不知悔改，变本加厉。张小锦就是再用十八般武艺转移妈妈的注意力，妈妈还是越来越接近真相了。妈妈对自己的好朋友痛哭一场和盘托出。这位闺密是个刚烈女子，疾恶如仇。她不断和妈妈分析爸爸的新动向，号召妈妈奋起抗击。妈妈很痛苦，和闺密无话不谈，最近已经到了商议如何去法院告道德败坏的爸爸，讨论分割财产和张小锦的归属……张小锦用大量的精力偷听她们的谈话，惊恐万分。好比外敌入侵，妈妈的闺密是主战派，张小锦是主和派。张小锦要维护家园，当务之急就是除掉闺密！她走投无路，不知道跟谁商量。跟同学不能说，要维持幸福家庭的假象；跟亲戚不能说，爸爸妈妈都是好面子的人，张小锦不愿亲人们知道家中正在爆发内乱；跟老师也不能说，她害怕老师从此把她归入需要特别关心爱护的群体。百般无奈的张小锦想到了心理医生，就把所有的私房钱都拿出来做了咨询费。

听完了这一切，我把张小锦抱在怀里，她像一只深秋冷雨后的蝴蝶，每一根发丝都在极细微地颤抖。不知道在这具小小的躯体里隐藏了多少苦恼与愤怒！她还是个孩子啊，却肩负起了成人世界的纷争，为了自己的家庭，咽下了多少委屈、辛酸的苦果！

许久后，我说，小锦，设想一个奇迹。假如你妈妈的闺密突然消失了，你们家就能平静吗？

张小锦认真想了一会儿，说，可能会平静几天吧。但我妈妈已经起了疑心，她会穷追到底，我爸爸迟早得露馅。

我说，这么说，闺密并不是事情的症结……

张小锦是个聪明孩子，马上领悟过来，说，事情的根本是我爸妈自己！

我说，你同意我请你的爸爸妈妈到这里来，咱们一同讨论你们家的情况吗？

张小锦害怕地抱着双肩说，他们会离婚吗？

我说，不知道，咱们一块儿努力吧。只是有一条，这一次，你不能装作什么都不知道，你要把你所知道的一切和感受都说出来，包括你对父亲第三者的印象，还有你对闺密的看法。你要表达你对父母的期待和对一个完整的家的爱。

张小锦说，天啊！在爸爸妈妈眼里，我一直是个善解人意的乖乖女，这下子，我岂不是变成了刺探情报两面三刀的小间谍？！不干！不干！

我说，这是否比你失去爸爸妈妈和家庭瓦解更可怕？

张小锦捂着眼睛说，好吧。我知道什么事最可怕。

　　我们和张小锦的爸爸妈妈取得了联系，他们一同来到咨询室。经过多次的家庭讨论，这其中有很多激战和眼泪，张小锦的爸爸终于决定珍惜家庭，和第三者一刀两断。妈妈也说看在小锦的一番苦心上，给爸爸一个痛改前非的机会。

　　结束最后一次咨询，张小锦离开的时候悄悄地对我说，现在，我也有了一个闺密，给我出了个好主意。

　　我说，谁呀？她说，就是你啊！

31.

心轻者上天堂

毕
淑
敏
文
集
（

　　埃及国家博物馆有一件奇怪的展品。一方用精
美白玉雕刻的匣子，大小和常用的抽屉差不多，匣
内被十字形玉栅栏隔成四个小格子，洁净通透。
玉匣是在法老的木乃伊旁发现的，当时匣内空无
一物。从所放的位置看，匣子必是十分重要，可它
是盛放什么东西用的？为什么要放在那里？寓意何
在？谁都猜不出。这个谜，在很长一段时间内让考
古学家们百思不得其解。后来，在埃及中部卢克索
的帝王谷，在卡尔维斯女王的墓室中，发现了一幅
壁画，才破解了玉匣的秘密。

　　壁画上有一位威严的男子，正在操纵一架巨大
的天平。天平的一端是砝码，另一端是一颗完整
的心。这颗心是从一旁的玉匣子中取出的。埃及

古老的文化传说中，有一位至高无上的美丽女性，名叫快乐女神。快乐女神的丈夫，是明察秋毫的法官。每个人死后，心脏都要被快乐女神的丈夫拿去称量。如果一个人是欢快的，心的分量就很轻，女神的丈夫就判那颗羽毛般轻盈的心引导着灵魂飞往天堂。如果那颗心很重，被诸多罪恶和烦恼填满褶皱，快乐女神的丈夫就判他下地狱，让他永远不得见天日。

原来，白玉匣子是用来盛放人的心灵的。原来，心轻者可以上天堂。

自从知道了这个传说，我常常想，自己的心是轻还是重，恐怕等不及快乐女神的丈夫用一架天平来称量，那实在太晚了。呼吸已经停止，一生盖棺论定，任何修改都已没有空白处。我喜欢未雨绸缪，在我还能微笑和努力的时候，就把心上的坠累一一摘掉。我不希图来世的天堂，只期待今生今世此时此刻朝着愉悦和幸福的方向前进。天堂不是目的地，只是一个让我们感到快乐自信的地方。

心灵如果披挂着旧日尘埃，好像浸透了深秋夜雨的蓑衣，湿冷沉暗。如何把水珠抖落，在朗空清风中晾干哀伤的往事？如何修复心理的划痕，让它重新熠熠闪亮，一如海豚的皮肤在前进中把阻力减到最小？如何在阳光下让心灵变得通透晶莹，仿佛

古时贤臣比干的七窍玲珑心，忠诚正直，诚恳聪慧，却不会招致悲剧的命运？

我们不是从一张白纸开始自己的心灵健康之旅，背负着个人的历史和集体的无意识。在文化的熏染中长大，它们对我们的影响复杂而深远，微妙而神秘。

32.
在纸上写下你的忧伤

毕淑敏
文集
〈一〉

　　把你不快乐的理由写在一张纸上，你会惊奇地发现，它们完全没有你想象的那样多，一般来说，它们是不会超过十条的。在这其中，把那些你不可能改变的理由划掉，比如你不是双眼皮或者你不是出身望族。然后认真地对付剩下的若干条，看看有哪些切实可行的方法可以将它们改变。

　　我常常用这个法子帮助自己，写在这里，供朋友们参考。

　　先准备一张纸，在纸上写下我纷乱的思绪。最好是分成一条条的，这样比较清晰和简明扼要。要知道，人在愁肠百结、眼花缭乱的时候，分辨力下降，容易出错。所以把复杂的问题简单化、条理化，用通俗点的说法，就是给问题梳个小辫子。实践证明，这是个好方法。

具体的操作步骤是这样的。假如你感到沮丧，就请你分门别类地把沮丧的理由写下来。假如你哀伤，就尝试着把哀伤的理由也提纲挈领地写下来。如果你也不知道因为什么，就是心烦意乱、百爪挠心、不知所措、诸事不顺的时候，也请你把所有可能导致如此糟糕心情的理由写下来。不要嫌麻烦，依此类推——当你愤怒的时候，当你寂寞的时候，当你无所适从的时候，当你自卑和百无聊赖的时候……都可以用这个法子试一试。

给你一个建议——找一张大一些的纸，起码要有A4纸那样大。如果你愿意用一张报纸一般大的纸，也未尝不可。反正我常常是这样开始的，引发我不适的感觉是如此强烈，深感没有一张大纸根本就写不下。数不清的理由像野兔般埋伏在烦恼的草丛里，等待着我去一一将它们抓出来。如果纸太小，哪里写得下？写到半路发觉空白地方不够了，再去找纸，多么晦气！

当然了，你要找一个安静的地方。你要独自一人。不要把这当成一个玩笑，精神的忧伤是值得认真对待的，我们要凝聚心力，有条不紊地打开创口。

我当过外科医生，每逢打开伤口的时候，我都要揪着一颗心，因为会看到脓血和腐肉，有的时候，还有森森白骨。但是，任何一个负责任的医生，都不会因为这种创面的血腥狼藉而用一层层的纱布掩盖伤口，那样只会养虎为患，使局面越来越糟。

打开精神的伤口也是需要勇气的。当你写下第一条的时候，你很可能会战战兢兢地下不了笔，这时候，你一定要鼓起勇气，不要退缩。就像锋利的柳叶刀把脓肿刺开，那一瞬，会有疼痛，但和让脓肿隐藏在肌肉深处兴风作浪相比，这种短痛并非不可忍受。

第一刀刺下去之后，你在迸出眼泪的同时，也会感到一点点轻松。因为，你把一个引而不发的暗疾揪到了光天化日之下。

乘胜追击，不要手软。请你用最快的速度再写下让你严重不安的第二条理由。这一次，稍稍容易了一些。不是吗？因为万事开头难啊！你已经开了一个好头，你已经把让你最难忍受的苦痛凝固在了这张洁白的纸上。这张纸，因了你的勇敢和苦痛，有了温度和分量。

第二条写完之后，请千万不要停歇下来，一定要再接再厉啊！这应该不是什么太难之事，因为让你寝食不安的事不会只是这样简单的一两件，你的悲怆之库应该还有众多的储备呢！也不要回头看，估摸自己已经写的那些东西是不是排名前后有调整

的必要，只须埋头向前，一味写下。

写！继续！用不着掂量和思前想后，就这样写下去。等到了你再也写不出来的时候，咱们的"白纸疗法"第一阶段就先告一段落。

摆正那张纸，回头看一看。

我猜你一定有一个大惊奇。那些条款绝没有你想象的多！在一瞬间，你甚至有些不服气，心想造成我这样苦海无边、纷乱不止的原因，难道只有这些吗？不对，一定是什么地方出了差池，我想得还不够深不够细，概括得还不够周到，整理得还不够全面……

不要紧。不要急。你尽可以慢慢地想，不断地补充。你一定要穷尽让自己不开心的理由，不要遗漏一星半点。

好了，现在，你到了绞尽脑汁再也想不出新的愁苦之处的阶段了。那么，我们的"白纸疗法"第一阶段正式完成。

你可以细细端详这些让你苦恼的罪魁祸首。我猜你还是有些吃惊，它们比你预想的还要少得多。你以为你已万劫不复，其实，它们最多不会超过十条。

不信，我可以试着罗列一下。

1. 亲人逝去；

2. 工作变故；

3. 婚姻解体；

4. 人际关系恶劣；

5. 缺乏金钱；

6. 居无定所；

7. 疾病缠身；

8. 牢狱之灾；

9. 失学失恋；

10. ……

看到这里，你也许会说，这也太极端了吧？这些倒霉的事怎么能都集中到一个人身上呢？这种人在现实中的比例太低了！万分之一有没有啊？是的，我完全能理解你的讶然，但是，正如我们前面所说的，即使是这样的"头上长疮脚下流脓"的超级倒霉蛋，他的困境也并没有超过十条。

现在，"白纸疗法"进入第二个阶段。

把你的那些困境分分类，看看哪些是能够改变的，哪些是无能为力的。对于能够改变的，你要尽自己的努力来争取摆脱困境。对于那些不能改变的，就只能接受和顺应。

咱们还是拿那个天下第一倒霉蛋的清单来做个具体分析。

1. 亲人逝去；

2. 工作变故；

3. 婚姻解体；

4. 人际关系恶劣；

5. 缺乏金钱；

6. 居无定所；

7. 疾病缠身；

8. 牢狱之灾；

9. 失学失恋。

不能改变的：亲人逝去，婚姻解体，疾病缠身。

已经得到改变的：因为牢狱之灾，解决了居无定所。因为牢狱之灾，也就没有继续工作的可能性了，所以，第二条困境就不存在了。失学这件事，也只有等待出狱之后再做考虑。失恋这件事，虽然说并不是完全没有希望挽回，但因为恋爱毕竟是两个人的事情，假如在没有牢狱之灾的情况下，对方都已经和你分手，那么现在的局面更加复杂，和好的可能性也十分微弱，基本上可以把它放入你无能为力的筐子里面了。

可以做出的改变：

1. 在牢狱里，服从管理，争取减刑。

2. 积极治病，强身健体。

3. 学习知识和技能，争取出狱后能继续学业或是找到工作，积攒金钱，建立新的恋爱关系，找到房子，成立美满家庭。

通过剖析这张超级倒霉蛋的单子，我想你已经知道了该怎么做，我这里也就不啰唆了。毕竟每一片叶子都是不同的，每一个人遇到的具体困境和难处也都是不同的。我也就不打听你的隐私了。现在，让我们进入"白纸疗法"的第三个阶段。

第三个阶段非常简单，就是你给自己写一句话，可以是鼓励，也可以是描述自己的心境，也可以是把自己骂上一句。当然了，这可不是咬牙切齿的咒骂，而是激励之骂。

有的朋友可能还是不知道如何下笔，让我举几个例子。

有人写的是：那个悲伤的人已经走远，我从这一刻再生。

有人写的是：振作起来。不然，我都不认识

你了！

还有人写的是：一切反动派都是纸老虎。

最有趣的是我曾看到一个年轻人写道：啊！我呸！

我问他，这个"我呸"，是什么意思？

他翻翻白眼说，你连这个都不懂？就是吐唾沫的意思。吐痰，这下你总明白了吧？

我笑笑说，还是不大明白。

他说，你怎么这么笨呢！像吐口水一样，把过去的霉气都吐出去，新的生活就开始了。我小的时候，每逢遇到公共厕所，氨水样的味道直熏眼睛，我妈就告诉我，快吐口水，就把吸进肚子里的臭气都散出去了……现在，我也要"呸"一下。

我明白了，这是一个仪式，和过去的沮丧告别，开始新的一天。其实也很有道理。在咱们的文化中，有一个词，叫作"唾弃"，说的就是完全的放弃。还有一个词叫作"拾人余唾"，就是把别人放弃的东西再捡回来，充满了贬义。因此，这个小伙子在一句"我呸"当中，蕴含了弃旧图新的决定。

33.

分泌幸福的"内啡肽"

文
集
~毕
淑
敏
~

　　我曾看过一则新闻：英国有家报社，向社会有
奖征答"谁是最幸福的人"，然后排出第一种最幸
福的人，是一个妈妈给孩子洗完澡，怀抱着婴儿；
第二种最幸福的人，是一个医生治好了病人并目送
他远去；第三种最幸福的人，是一个孩子在海滩上
筑起了沙堡；备选答案是，一个作家写完了著作的
最后一个字，放下笔的那一瞬间。

　　看完这则不很引人注目的报道，那一瞬间，我
真的像被子弹打中一样，感到极度震惊——这四种
状况都曾集于我一身，但是，我没有感觉到幸福！

　　我为什么没有幸福感？有了这个问号后，我就
去观察周围的人，这才发现，有幸福感的人是如此
之少。有一年，我拿出贺卡看了看，结果发现最多

的是"祝你幸福",这可能是中国人的集体无意识,所以才会觉得是永远的吉祥话。

可是,幸福的本质是什么东西呢?

日本春山茂雄博士《脑内革命》一书说,当我们感知幸福的时候,其实是生理在分泌一种内啡肽,即幸福感是体内内啡肽的分泌。从罂粟里提炼的吗啡是毒品,它的魔力正是在于它的分子结构模拟了生理基础上的内啡肽,让你体验到一种伪装的、模拟的快乐。当你觉得真正快乐的时候,例如接到大学录取通知书时,如果去抽血查验体内的生化水平,你的内啡肽水平是很高的。

据春山茂雄研究,人体内啡肽的分泌,和马斯洛"需要层次"的金字塔理论惊人地吻合:吃饭能带来愉悦,人在生理基础上是快乐的;然后,在实现安全、爱和尊严的需要的过程中,伴随着更大量内啡肽的分泌,让你感知自己的幸福;最重要的是,当你完成自我实现的时候,内啡肽就到达非常高的水平,远远超出吃饭带来的幸福感。

这种生理和心理的结合,使我觉得,能够体验到幸福感,是一个需要训练、感知且不断提高的过程,因为幸福不是与生俱来的。

我觉得世界上的幸福首先来自一个坚定的信念。

我常去高校和大学生交流,给我最多的感觉

是，他们面临着一个非常重要的问题——人生观的确立和价值观的走向，即人为什么活着。

经常有媒体采访我的心理咨询中心，最喜欢提的问题是："咨询最多的问题是什么？"我说，心理咨询室这张米黄色的沙发如若有知，一定会一次次地听到来访者在问："我为什么活着？"我觉得人是追索意义的动物，尤其是年轻人，都曾经无数次地叩问这个问题。

以前，我们喜欢用灌输式的方法，从小将主义、理想或目标灌输给孩子，希望能够在他心中扎下根，成为他一生的坐标。可我现在发现，一个人的目标，一定需要他自己经过艰苦的摸索，然后在心理结构里确立下来，否则，无论我们多么用心良苦、谆谆教导，它真的只是一个外部的东西。

其实，每个人都早早地确立了一生的目标，因为它原本已存在于你的内心：从童年经验开始，你所热爱、尊敬、向往、要为之奋斗的东西，其实早已植根于心里，只不过被许多世俗的东西、繁杂的外界所影响，甚至被遮蔽了。当一个人开始有意识地关注自己的心理健康时，那是在整理他的心理结构，然后明白心中取得最主打作用的架构和体系。

我曾在一所非常好的大学做讲座，台下有学生递条子说："毕老师，我想问问你，我年轻貌美，又有这么好的大学文凭，要是不找一个大款把自己嫁了，我是不是浪费了资源？"我想，在大学生寻找目标的迷茫过程中，能够有这种朋友式的探讨，是特别重要的。

另外，我觉得自我形象的定位是幸福感来源非常重要的一部分。

在大学生自我形象的构建里，有一部分是他们的"出身"（阶层）：他们从各种阶层突然聚合到一起，大学虽是个相对小的、封闭的环境，却也是整个社会的缩影，因此，如何看待自己不可选择的出身阶层，这是自我形象非常重要的部分。另外一部分是他们的学业，包括学习的能力、智商的能力、人际交往的能力等，可归为自己奋斗来的部分。

然而，还有特别重要的一部分，就是外在条件——长相。

我曾在一所大学做关于自我形象、自我认知的讲座，请台下的学生回答：你们有谁曾经为自己的长相自卑？结果齐刷刷地举手——所有的人都自卑！

我当时一下子不知该如何反应，没料到当代年轻人在相貌问题上居然有如此大的压力。

后来，我悄悄问一位女生，问她为自己相貌的哪一点自卑，我实在找不着——她身材窈窕、黑发如瀑、明眸皓齿、肤如凝脂，真的是美女。

　　她说，我有一颗牙齿长得不好看。

　　我说，哪颗牙齿？

　　她说，第六颗牙齿。

　　我说，谢谢你告诉我，否则站在对面看你一百年，我也看不出你那颗牙齿不好。

　　她说，你不知道，可是我知道。我不敢笑，从来都是抿着嘴只露出两颗牙齿。同学都说我多"冷"、多高傲，其实，我只是怕人看到第六颗牙齿。男生追求我的时候，我就想，我一颗牙齿不好，他还追求我，肯定是别有用心，于是放弃了好几个条件很好的男生。

　　我觉得，当一个人不能接纳自己，不能和自己友好地相处的时候，他就不能和别人友好地相处。因为，他对自己都那么百般挑剔、那样苛刻，又怎能和别人有真诚的、良好的沟通与关系？

其实，我挺欣赏基督教里的说法：接受你不可改变的那一部分。我们可以列一列，像出身的阶层、长相及缺陷，这些是我们不可改变的，而我们能够去修炼、弥补和提高的，就是我们可改变的那一部分。

面对一个我们不可改变的东西，该如何对待它，每个人的答案是不一样的，而这个不一样的答案却可能深刻地影响我们的一生。比如，一个人认为他丑，就认定自己完全不会幸福了，觉得他既然这么丑，有什么权利得到幸福？一个人说他很贫寒，为什么别人可以含着银汤匙出生，而他却含着草根出生？

面对种种不平等，我常跟年轻人说，不平等是社会有机组成的一部分，而让它变得更为平等，是你义不容辞的责任之一。

首先，你要丢掉幻想，坦然接纳不公平、巨大的差异或先天不良。然后，对于自己可改变的部分，你就要细细地分析，找出自己的优缺点，是优点就让它更好，是缺点就要去弥补，尤其要突出优点，把自己光彩照人的方面表达出来。因为中国文化特别容易告诉你哪里不行，生怕你忘了自己的缺点，而你有什么优点，告诉你的人可不太多，所以要坦然接受自己的优点，将它发扬光大。

　　心理咨询中心来过一位留英硕士，月薪12万元，可他将自己说得一无是处，弄得我都心酸。我才知道，一个人接不接纳自己，其实不在于外在的条件，也不在于世俗的评判标准，而完全在于他内心框架的衡量。

　　我通常咨询完了不会给谁留作业，但那天我说，我给你留个作业：下星期来见我之前，你要写出自己的15条优点。

　　他快晕过去了，说，我怎么能找到15条优点呢？至多也就找出一两条。这个世界上，可能只有您相信我还有优点，我父母就不相信我有优点，所有人都不相信我有优点！

　　我说，你老板起码相信你有优点吧，否则怎会出月薪12万元雇你？

　　他突然在这个事实面前愣了半天，然后说，噢，那我试试看。

　　所以我觉得，应该去认识自己的长处，将它发扬光大，去接纳那些不可改变的东西。当你能够坦然地面对自己的时候，其实也就可以坦然地面对世界——放下包袱后，你才可以轻装前进。

　　费尔巴哈说过："你的第一责任是使你自己幸福。你自己幸福了，你也就能使别人幸福，因为，幸福的人愿意在自己周围只看到幸福的人。"

34.
钱的极点

文 毕
集 淑
〉 敏
〉

　　小时候猜一道智力题。问：从地球上的什么地方出发，无论往哪里走，都是朝向南？答案是：北极。

　　现在无论同谁聊天，无论从哪儿说起，都会很快谈到钱。钱成了当今社会的极点。

　　钱给人的好处是太多了，而且有许多人由于钱不多，而享受不到钱的好处。人对于得不到的东西就需要想象，想象的规律一般是将真实的事物美化。比如说，我们看到一位大眼睛戴口罩的女士，就会想她若摘了口罩，一定更是美丽动人。其实不然，口罩里很可能是一对暴牙齿，人家原是为了遮丑的。

　　我当过许多年的医生，虽是无钱之人，却凭医疗常识，想象钱的功能有限，理由是从人的生理结构而来。

钱能买来山珍海味，可再大的富豪也只有一个胃。一个胃的容积就那么大，至多装上两三斤的食物，外加一罐扎啤，也就物满为患了。你要是愣往里揣，轻则是慢性胃炎，重了就是急性胃扩张，后者还有生命危险呢。更不消说，长期的膏粱厚味，还会引起高胆固醇、糖尿病等疾病。所以说，那些因公而需长期大吃大喝的人，得了肥胖症，真是要算公伤的。

钱能买来绫罗绸缎。可再娇美的妇人也只有一副身段，一次只能向世人展现套在身体最外层的那套衣服。穿得太多了，就会捂出痱子。要是一天老换衣服，变成工作，就是时装模特儿了，和有钱人的初衷不符了。

再说人类延续种族愉悦自身的那个器官吧，更是严格遵循造物的规律，无论科学怎样进步，都不可能增补一套设备。假如无所节制，连原装的这一份都进入"绝对不应期"，且不用说那种种的秽病了。电线杆子上的那些招贴纸，是救不了命的。

人和动物在结构上实在是大同小异，从翩飞的蝴蝶到一只最小的蚂蚁，都有腹腔和眼睛。人和动物的最大区别就在于思想，而恰恰在这一面钢铁盾牌面前，金钱折断了蜡做的矛头。

　　比如理想，比如爱情，比如自由……都是金钱的盲点。它们可以因了金钱而卖出，却不会因了金钱而买进。金钱只是单向的低矮的闸门，永远无法积聚起情感的洪峰。

　　造物给予人的躯体是有限的，作为补偿，造物还人以无垠的精神。人的躯体的每一个细微之部，都是很容易满足的。你主观上想不满足，造物也不允许你。造物以此来制约人物质的欲望，鼓励思想的飞翔。于是人类在有了果腹的兽肉和蔽体的树叶之后，就开始创造语言、绘画和音乐……积蓄了一代又一代的精华，于是我们有了文学，有了艺术，有了哲学的探讨和对宇宙的访问……那都是永无穷尽的奥妙啊。只要人类存在一天，就会上天入地披肝沥胆地寻找与提炼。

　　我们现在是站在钱的极点上，但我们很快就会离开它。人们在新的一轮物质需要满足之后，回过头来仍然要皈依精神。

　　精神是人类最大的财富。在远没有金钱之前，人类就开始了精神的求索。人类最终也许将消灭金钱，但毫无疑问的是人类的精神永存。

35

积木别墅

毕淑敏文集〈〉

人的血液里，流淌着热爱盖房子的愿望。证据是我们从小就爱玩积木。

那是一些多么美丽的小木块啊！方的、长的、绿的、黄的、腰鼓状的、半球状的……新积木紧紧地镶在漂亮的纸盒子里，上面有一张折叠的纸。

那是图纸，锲而不舍地告诉我们，用盒子里的这些材料可以搭出怎样的建筑。

纸上的模型自然很精彩。但是属于我的那些积木，直到尖锐的棱角磨得圆钝，表层的彩漆脱落尽，都没有一次按图索骥组装成纸上的模样。

我不喜欢现成的图案。纸上已经画出来了，就像挖掘好的河道，思维的小船只能在里面慢慢漂。那样我们就降为工匠，而不是设计师了。

有一次幼儿园里举行搭积木比赛，要求是用尽给你的积木搭一所好看的房子。

我趴在桌上，将我的那堆积木看了半天，然后很快开始干活。我把一块红色的长方形积木和一块同样形状的绿色积木并立起来，它们就组成了一个别致的正方形。然后，把一个金色的三角形积木搁在上面，第一间小房子就宣告竣工。

我还依次搭了一些同样分散而小巧的建筑，精致的小亭子、带钟表的小阁楼等。最后，我还剩了一块淡蓝色的柱形积木，不知道干什么用好，就把它直直地戳在建筑群的正当中。

比赛时间到了。我偷着觑了一眼旁边的小朋友。那是一个胖胖的男孩。

他倾其所有的家当，搭了一座牌坊似的塔楼。风一吹，扇形的积木墙就摇摇晃晃。他参着两只手，既不敢扶，又不敢不扶，悬空护卫着他的作品。

老师走到我的部落前，说，你搭的这是什么呀？是别墅吗？这么浪费地方！

这是我生平第一次听到"别墅"这个名词。

她接着拨拉那块矗立着的淡蓝色小积木，又说，你怎么剩了一块砖？

我说，那不是砖。

老师说，那你说说，它到底是什么？

我说，是一个人啊。他正好从房间里走出来，要穿过这个小月亮门到拱桥上去……

老师仔细地听完了我的解释，然后公布我的邻桌是此次比赛的第一名，而我是最后一名。

胖男孩得意地望着我，我惭愧地一把将自己的别墅晃倒。

他的高楼也应声倒了。没有人碰它，高楼弱不禁风。

随着年龄的增长，我也终于明白了自己的不合时宜。我们的国家土地那么少，人口那么多，普通人哪里能享得别墅的奢侈。

我在地震的年代又看到了那个胖男孩，他变得很消瘦，在一家工厂当工人。

一夜间，起了那么多防震棚。各家各户的男子汉好像都是上好的建筑师。因陋就简，瓜菜代砖，顺手牵羊，拆了东墙补西墙……人们一时间焕发出惊人的聪明才智，各家的小房子像雨后的毒蘑菇，色彩斑斓，争奇斗艳。

我站在他搭的小房子里，身旁是用裁了图钉后剩的洋铁板钉成的窗户。那边角碎料，通常是用来做简易暖瓶的外壳的，制成窗户，别有一番情趣。

我原以为阳光透过这种"玻璃"还不得被切割得支离破碎，在地面留下麻子一般的光点。其实完

全不是这样。

强烈的阳光穿过铁皮的空隙，倏地变淡了，好像钻进一层镂花的窗帘。它均匀而温柔地漉在不久前还是旷野的土地上，使没有被铲净的小草根冒出嫩绿。

这样简易的窗户自然是没有纱窗的。寒暄之后，我问主人，铁皮上这么大的窟窿眼，得飞进多少苍蝇蚊子？

主人说，苍蝇飞不进来。

我说，不能吧？这么大的洞，挤一挤，两只苍蝇可并排通过。主人笑了，说，苍蝇没有人聪明，它们不会抿了翅膀飞。所以无论从理论上讲还是实践验证，我这间自盖的小窝棚里，从没飞进过苍蝇。

我不甘心地问，那么蚊子呢？

主人叹了一口气说，假如晚上点灯，蚊子见了亮，就会飞进来。

我说，假如摸黑坐着，蚊子就不会来了吧？

主人说，也不行。蚊子能闻见人血的气味，照样飞进来咬你。

我说，那就只有在棚子里多喷点儿杀虫药了。

主人苦笑了一下，说，四面漏风的小房子，药味早就随风飘散了。

我说，那就搬回正经房子里住吧。

　　他说，搬不回去了。弟弟已经用他俩合住的房子结了婚。新人说，他们不怕地震，只怕没房。

　　我不知再说什么，主人反过来安慰我。他说，住在自己亲手盖的房里，再小也令人得意。假如有了足够的地方、足够的材料，他能盖一栋最舒适的房子。通过这回实地操作，他发现自己的手艺挺不错。

　　就盖一座你当年挨了批评的别墅吧。他用玩笑结束了自己的话。

　　他还记得那件事，他还是那么爱盖房子！

　　又是许多年过去了，社会在不断地进步着。我们已经可以比较自由地选择我们的食物、衣服、发式和室内的装饰（假如不是太奢侈的话）。

　　我再没有见到那个原先很胖后来消瘦了的邻桌。有时在夏天有蚊子飞过的夜晚，看到很壮观的高楼或很精巧的别墅，我就会想起他。

　　但愿将来有一天，他能按照自己的愿望，盖一座理想中的房子。

36

绿手指

（毕淑敏文集）

美国某小镇，有一位老奶奶，长着"绿手指"。千万别以为她是个妖怪或有什么特异，这是当地人对好园丁的称赞。

一天，老人在报上看到一条消息，园艺所重金悬赏纯白金盏花。老奶奶想，金盏花除了金色，就是棕色的，白色的，不可思议。不过，我为什么不试试呢？

她对八个儿女讲了，遭到一致反对。大家说，你根本不懂种子遗传学，专家都不能完成的事，你这么大年纪了，怎么可能完成呢？

老奶奶决心一个人干下去。她撒下金盏花的种子，静心侍弄。金盏花开了，全是橘黄色的。老奶奶在中间挑选了一朵颜色稍淡的花，任其自然枯萎，以取得最好的种子，第二年把它们栽种下去。然后，再从花朵中挑选颜色浅淡的种子，栽种……一年又一年，春种秋收循环往复，老奶奶从不沮丧怀疑，一直坚持。儿女远走了，丈夫去世了，生活中发生了很多的事，老奶奶处理完这些事之后，依然满怀信心地栽种金盏花……

二十年过去了。有一天早晨，她来到花园，看到一朵金盏花开得奇特灿烂。它不是近乎白色，也不是很像白色，是如银如雪的纯白。

她把一百粒种子寄给了那家二十年前悬红的机构。她甚至不知道这则启事是否还有效，在这漫长的岁月里，是否早就有人培育出了纯白金盏花。

等待的日子长达一年，因为人们要用那些种子验证。终于，园艺所长打电话给老奶奶说，我们看到了你的花，它是雪白的。因为年代久远，奖金不再兑现。您还有什么要求吗？

老奶奶对着听筒小声说，只想问一问，你们可还要黑色的金盏花？我能种出来……

黑色的金盏花至今没开放，因为老奶奶去世了，世人再没有了这种笨笨的坚持。

但愿你我还能长出新的绿手指。

37.

坦然走过乞丐

文集〉 毕淑敏

　　喜欢张爱玲的一个理由，是她说自己不喜欢乞丐。凡人不敢说厌恶乞丐，特别是女性，那样显得多不善良啊。

　　乞丐是一个现象，它把贫穷和孱弱表面化了，瘫软地体现了出来。它把人的哀助赤裸裸地表达着，让他人在同情之后起了帮助的欲望和收获施与的喜悦。

　　于是乞丐就成了常说常新的话题，名著中的乞丐常常是睿智和淳厚的，平常人也有很多与乞丐有关的故事。听过一个女子讲述，她最终决定嫁给丈夫，是因为那个男人在看到乞丐的时候总是一往情深地掏钱。某次竟把请女孩吃饭的钱悉数捧出，以至于两个人只能空腹沿江散步（女孩的钱只够两人回家的路费）。女孩认定男子值得信赖，很快和他结婚了。那个衣衫不整的乞丐不知不觉中成了红娘。当我对女孩见微知著的聪敏欣赏不已时，她脸色陡沉，说，婚后不久发现丈夫狭隘虚伪，两人很快分道扬镳。于是那个乞丐又在浑然不觉中成了罪人。

我茫然了，不知如何对待这大城市眉眼上的瘤。某天和海外宗教界的朋友结伴走地铁。肮脏的老乞丐裹着污浊的破毡，半跪半俯地挡住了阶梯，破旧草帽中，零星小币闪着暗淡的光。毡下像枪管一样刺出半截腿，该长着脚的地方是一团褐色的腐肉。情景的惨和气味的熏，使人不得不远远抛下点儿钱，逃也似的躲开。

我知趣地退后了几步，和朋友拉开距离。依她的慈悲和博爱，无论捐出多少，都是心意，也是隐私，我尊重地闪开为好。

她端庄地走了过去，俯身对残疾老人说，请你让一让，不要阻了通道，你没看到人们都绕开你走吗？这让大家多不方便啊。老人从地面抬起半张脸，并不答她的话，我行我素道，行行好，太太，给几个小钱……

朋友悄然走了过去，不曾放下一枚硬币。进入地铁，找到站内的工作人员，她说，通道上有个乞丐，妨碍了交通，请你们敦促他走开。

我无声地看着这一切，心想不给钱尚能理解，比如恰逢心绪不佳，没有余力关顾他人，但找了公安驱赶老丐是不是也嫌过严？忍不住替她找理由，说，我看到报载，有些乞丐骗吃骗喝，白天在街上乞讨衣衫褴褛，下了班之后西装革履地下馆子。有的干脆以此为业，几年下来，居然在乡下起楼造屋成了当地首富。想你一眼看出那乞丐正是这路人等？

朋友笑了，说我哪有这份神功。你说的那些事例，我也在报上看过。具体到这位老人，没有证据，我们不可以随便怀疑。我疑惑道，既然你不认为他是坏人，为何不施舍？

朋友道，可我也不能判断出他是否真的贫病无告、难以自食其力啊。

我说，这却难了。每个人在掏腰包施舍之前，难道还要雇个私人侦探，一一查访乞丐们的收入情况吗？

朋友正色道，这正是现代社会的为难之处。农耕社会，谁个穷、谁个真无助，十里八乡的人都心里有数。进入信息社会了，人员大量流动，我们知道火星几日几时几分大冲，一般人却无法掌握乞丐们的真实背景。

　　我说，那怎么办呢？有些乞丐挡住你的路，展示他们的残疾和可怕，吓得你不得不扔钱。几个人同行，若你袖手而过，就显出小气和不仁，压力也挺大啊。

　　朋友说，我是从不在马路边施舍的。那样不是仁慈，而是愚蠢。当然了，我不敢说马路边的每一个人都不该救助，但救助也要有现代的意识。你给了一点儿钱，他就叩头，他靠出卖尊严得到金钱，你收获了廉价的欲望满足。你的那几个小钱，是不配得到这样的回报的。他轻易地以头触地，因为他已不看重自我。那种靠展示生理恶疾来压榨人们的感官，更是一种潜在的威胁和逼迫。利用丑恶博得金钱，古来就被称为"恶乞"，被人所不齿。如果

你辛辛苦苦挣来的钱却助长了不良之风，不正与你善良的愿望相悖吗？

我听得点头，又问，那我们该如何施舍呢？

朋友说，要有正式的慈善机构来负责这些事务。它要接受各方面的监督，来有来路，去有去向，一清二白才能把好钢使在刀刃上，又省了普通民众的甄别之难。

从那以后，我可以坦然走过乞丐身旁，对那些慷慨解囊之人不再仰慕，对那些扬长而去之人也不再侧目。当然了，也积极向正规机构捐助，并期待他们的清廉。

文学浮动于金钱与卑微之中，躯体已被湮没，只剩下一颗苍老的头颅。

这是一个崇尚"轻"的时代，从太太的体重到人生的信仰，从历史的评说到音乐的节奏，以"轻"为美已成为风范。

究其原因，我们的共和国虽说年轻，业已经历了半个多世纪的和平。战争的瘢痕上已开满了鲜花，关于火与血的故事已羽化为神话。世界上两大阵营的消弭，使我们在瞬间模糊了某种长期划定的界限。当人们发现以往的沉重已无处附丽，就掉转头来寻觅久已遗失的"轻松"，是反叛，也是回归。更不要说"文化大革命"中样板戏的"高、大、全"，让许多人以为那就是崇高。

人心世道发生了大变化，人们在一个充满阴霾的早上发现金钱是那么可爱。中国人喜欢矫枉过正，因为我们的人口多。大家同时发现了一个真理，同心协力、"人多力量大"的结果就是把它逼近谬误。一位研究历史的长者对我说，这一次金钱大潮对知识分子信仰冲击的力度，甚于历次政治运动。那时是别人看不起你，这一回是让你自己看不起自己……

于是蔑视崇高成为一种"时髦"。

人们不谈信仰、不谈友谊、不谈爱情、不谈永远。人欲横流、物欲横流被视为正常，大马路上出现了一位舍己救人的英雄，人们可以理解小偷，却把救人者当作异端……

文学家们（请原谅我把一切舞文弄墨的人都归入其内）便有了自己的选择。

于是我们的文学里有了那么多的卑微。文学家们用生花妙笔殚精竭虑地传达卑微，读者们心有灵犀地浅吟低唱领略卑微。卑微像一盆温暖而混浊的水，每个人都快活地在里面打了一个滚儿。我们在水中荡涤了自身的污垢，然后披着更多的灰尘回到太阳底下。这种阅读使我们得到前所未有的满足，原来世界已一片混沌，我们不必批判自身的瘰疬，比起书中的人物，我们还要清洁得多哩！

崇高的侧面可以是平凡，绝不是卑微。

福克纳在接受诺贝尔文学奖时曾说，诗人和作家的特殊光荣就是"提醒人们记住勇气、荣誉、希望、自豪、同情、怜悯之心和牺牲精神，这些是人类昔日的骄傲。为此，人类将永垂不朽"。

这就是伟大作家的良知。

面对卑微，我们可以投降，向一股股浊流顶礼膜拜。写媚俗的文字、趋炎附势的文字，将大众欣赏的口味再向负面拉扯。一边交上粗劣甚或有毒的稗子，换了高价沾沾自喜，一边羞答答地说一句"著书只为稻粱谋"。其实若单单为了换钱，以写字做商品最慢，而且利益菲薄。稿费的低廉未尝不是好事，在饿瘦了真正的文学家的同时，也饿跑了为数不少的混混儿，起到了某种清理阶级队伍的作用。

其实卑微并不是我们的新发现，它是祖先遗传给我们的精神财产，你要也得要，不要也得要，伴随我们整个历史。在文学作品中，它也始终存在，只是从未做过主角。好比鲁迅先生鞭挞过的"二丑艺术"，就是一种形象的卑微。二丑什么都明白，表面上唯唯诺诺，背后里指点江山，但他们依旧为虎作伥。

对抗卑微是人类生存的需要。人是一种构造精细又孱弱无比的生物，对大自然和对其他强大生物

的惧怕，使人类渴望崇高。

　　我很小的时候到西藏当兵，面对广漠的冰川与荒原，我体验到个人的无比渺小。那里的冷寂使你怀疑自身的存在是否真实，我想地球最初凝结成固体的时候大概就是这样。山川日月都僵死一团，唯有人，虽然幼小，却在不停地蠕动，给整个大地带来活泼的生气。我突然在心底涌动着奇异的感觉——我虽然如草芥一般，却不会屈服，一定会爬上那座最高的山。

　　当我真的站在那座山的主峰之上时，我知道了什么叫作崇高。它其实是一种发源于恐惧的感情，是一种战胜了恐惧之后的豪迈。

　　也许是青年时代给我的感受太深，也许我的血管里始终涌动着军人的血液，我对于伟大的和威严的事物有特殊的热爱。我在生活中寻找捕捉蕴含时代和生命本质的东西，因为"崇高"感情的激发，有赖于事物一定的数量与质量。我们面对一条清浅的小河，可以赞叹它的清澈，却与崇高不搭界。但你面对大海的时候，感觉就完全不一样了，它的澎湃会激起你命运的沧桑感。我这里丝毫不是鄙薄小河的宁静，只是它属于另一个叫作"优美"的范畴。

我常常将我的主人公置于急遽的矛盾变幻之中。换一句话说，就是把人物逼近某种绝境，使他面临选择的两难困惑。其实我们每个人在自己的一生中，都会遭遇无数次选择。人们选择的标准一般是遵循道德习惯与法律的准则，但有的时候，情势像张开的剪刀刈割着神经，我们不知道该如何处置眼前的窘境。在这种犹疑彷徨中，时代的风貌与人的性格就凸现出来。人们迟疑的最大顾虑是害怕选择错了的后果，所以说到底，还是内在的恐惧最使人悲哀。假如人能够战胜自身的恐惧，做出合乎历史、顺乎人性的抉择，我以为他就达到了崇高。日新月异的时代，为我们提供了层出不穷的"选择"场地，这是我们这一代作家的幸运。

我常常在作品里写到死亡。这不单是因为我做过多年医生，面对死亡简直成了生活中的一部分，而且因为崇高这块燧石在死亡之锤的击打下，易于迸溅灿烂的火花。死亡使一切结束，它不允许反悔。无论选择是正确还是谬误，死亡都强化了它的力量。尤其是死亡之前，大奸大恶，大美大善，大彻大悟，大悲大喜，都有极淋漓的宣泄，成为人生最后的定格。中国有句古话，叫作"人之将死，其言也善"，就是说人临死前爱说真话，死亡是对人的大考验。要是死到临头还不说真话，那这人也极有性格，挖掘他的心理，也是文学难得的材料。

我常常满腔热情地注视着生活，探寻我不懂的事物，对世界充满好奇。我并不拒绝描写生活中的黑暗与冷酷，只是我不认为它有资格成为主导。生活本身是善恶不分的，但文学家是有善恶的，胸膛里该跳动温暖的良心。在文学术语里，它被优雅地称为"审美"。现如今有了一个"审丑"的词，丑可以"审"（审问的审），却不可赞扬。

当年我好不容易爬上那座冰山，在感觉崇高的同时，极目远眺，看到无数耸立的高峰，那是喜马拉雅山、冈底斯山、喀喇昆仑山交界的地方。凝视远方，崇高给予我们勇气，也使我们更感觉自身的微不足道。

因为山是没有穷尽的。

可否让我陪你哭泣

文
集
（一）

毕
淑
敏

哭泣是一种本能，古代人却害怕它。因为哭泣代表着一种极端状况的发生，人们本能地回避。

我说过，自己在妇产科工作时经手接生过很多婴儿。假如是顺产的孩子，他们降生后的第一反应就是号啕大哭。其实，这种音响的本质不应该被称为"哭"，他们从温暖的子宫降生到外界，感受到了寒冷，再加上压力骤然解除，肺部扩张，强力地吸入空气，就发出了人们称为哭喊的声音。实话实说，这种啼哭并不哀伤，只是一种体操。

我觉得真正区分哭泣的哀伤程度的，是眼泪。

其实哭是可以分成两种的，流泪的和不流泪的。没有眼泪的哭泣，更多的是压抑。只有那种泪流汹涌、滴泪沾襟的哭泣，才有更大的宣泄和排解

压力的作用。

洋葱也会让我们流泪，不过这种泪只是一些成分简单的水分。而人们因为悲伤流出的泪，含有大量的激素。

悲伤或愤怒的眼泪包含着脑啡肽，是大脑缓解疼痛的溶解剂。哭泣触动了分泌与释放激素的化学物质，排出了造成压力的激素。这是一种宝贵的外分泌过程。我们要找回哭泣的能量，好好利用这个武器。眼泪能排毒啊。

聆听别人的痛楚，常常让我们觉得难以忍受。

有一阵子，我的诊所里接二连三地来了一些丧失亲人、须做悲伤治疗的人。他们之中少数人是无声地哭泣，让眼泪顺着面颊汹涌而下。大部分人会撕心裂肺地痛哭，几乎声震寰宇。

诊所的工作人员说，她在外面都听得到声如裂帛般的哭声，我近在咫尺洗耳恭听，如何受得了呢！

我说，事实上并没有你想象的那样难挨。天下之大，其实是难以找到可以放声一哭的地方。从这个角度来说，他或她，能够让我陪伴着痛哭，是给予我极大的信任啊。

在朋友的交往中，也常有这种情境。

如果你觉得不可忍受，多半是因为这痛苦也正是你掩藏的创口。别人的叙述，像一柄挖掘的铲，让你的陈血也开始喷溅。这种时刻，你不要轻易放过。如果你不能倾听，可以躲开，但要讲清自己不是厌倦，而是无力支撑。我相信真正的朋友会理解这一点的。如果不能理解，也就不可久交了。

但你歇息下来的时候，不要轻易放过那稍纵即逝的痛楚。我猜，身体已经习惯于包裹最深的弹片，轻易不愿触动。不过还是要把它挖出来，虽然一段时间内会血流不止，不过伤口终将愈合，如果一直遮掩着，倒有可能导致精神的败血症。

40.
倾听灰姑娘

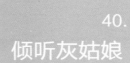

　　一位女友在国外做心理医生。回得国来，与我闲谈，说起她向许多心理疾患久治不愈的美国人，竭力推荐中国的一种疗法。

　　我说："是某种中药吧？中医对许多莫名其妙的病症，颇有奇异的效果。"

　　她抿嘴一笑说："不是。这疗法，不用口服不必注射，像我们这个年纪的中国人，操作起来都是极娴熟的。"

　　没想到，不知不觉中还有绝技在身，我忙问到底是怎样的疗法。

　　"就是谈心啊。当年我们俩不是结成对子，常常在操场边的葡萄架下，谈天到深夜吗？各自的家庭、心里的一闪念，还有苦恼和希望，都漫无边际地聊个够……直到现在，我的鼻子在大洋彼岸，在睡梦中，还时时会闻到篮球架旁的沙枣花香，那是一种无法形容的沁人心脾的醉气……"

我说："谈心这件事，现在的声名可不大好。过去许多人把谈心得来的材料，当成子弹，打了小汇报，酿出了无数冤案。人们如今都牢记老祖宗的教导，逢人只说三分话，未敢全抛一片心，哪里还有掏心掏肺的聊天？

"倘若是男人嘛，还有一个放松的机会，那就是三五知己喝醉了酒，吐出几分真言。女人就只好憋在肚里，让那些心里话横冲直撞，直到把自己的神经撞出洞来。再说，这也是社会的一种进步，我们好不容易得到了隐私权，岂能拱手相让？"

女友笑起来说："隐私权是一种权利，你愿意用就用，不愿用就不用，自由在你手里啊。好比离婚这种权利，对于和和美美的夫妻来说，就可以闲置在那里。再者，人家逼迫你说出隐私，和你自愿地倾诉心曲，实在是两回事。

"其实越是隐私，对人心理的压力就越大，就越要有正常的宣泄渠道。随着社会物质文明的进步，人们对自己的生理健康越来越关注。哪怕微风吹落了草帽，也要赶快吞几片感冒药预防。但人们对自己的心理关怀太不够了，它就像一个衣衫褴褛的灰姑娘，躲在角落里。可这个灰姑娘是会发脾气的，一旦疯狂起来。将给我们带来巨大的痛苦。"

她忽然转换了话题说："假如你和你的先生吵了架，你怎么办？"

我说："那我就不理他。"

她问："你和别人谈起吗？"

"一般不说。家丑不可外扬啊。"我叹一口气。

她说："你跟我说了心里话，我也跟你说。在美国，假如我突然和我的先生吵了架，我会马上就去找我的心理医生。"

我说："你自己不就是医生吗，还要找别人干什么？"

她笑笑说："心理医生也和别的医生一样，自己是不能给自己看病的。夫妻吵架表面上看来都是因为极小的事情，但下面常常潜伏着由来已久的情感危机。

"假如我们不想分手，就一定要把这股暗流找出来，清醒地对待它、排解它。但心理医生在美国收费十分昂贵。"

我说："主意虽好，只是咱们连小康尚未达到，第三世界消费不起。有没有自力更生、白手起家的法子？"

女友说："有啊，这就是谈心。其实心理医生也是和病人谈心聊天，只不过更专业、更精彩一些。女性应该多有几个朋友，至少也要有一个你可以面对她哭泣的女人。

"我指的不是那种萍水相逢，或生意场上、权力上因为利害关系结成的伙伴，而是交往多年，知根知底善解人意的朋友。

"你说起了一片叶子，她就知道风从哪里来。哪怕你婚后爱上了另一个男人，你也用不着分辩自己不是一个坏女人，要商讨的只是应该怎样办……她真诚而善良，绝不会让你的故事流传。精心的信任和感情，就是不花钱的心理医生。友谊是一种像水一样互相流动的物质。这一次你给予了我，下一次我给予你。"

我说："明白你的意思了，让我们倾听对方心中的灰姑娘。"

分手的时候，她对我说："肝胆相照、温暖亲切的谈心遵循着一条美好的定律。那就是——和朋友分享：

快乐是传染的，起码可以加倍。
痛苦是隔绝的，至少可以减半。"

41.
午夜的声音

毕淑敏
文集
〔八〕

　　把朋友们的姓名写在一张纸上，嗬，好长！细一检点，几乎全是女性。

　　交女友比交男友随意与安宁。男友跟你谈的多是国家、命运和历史，沉重而悠长。

　　于是，累。

　　还有那条看不见的战线，总在心的角落时松时紧，好像在弹一首喑哑的歌。先是要提醒对方，后是要提醒自己：不要在懵懵懂懂之中误越了界限。总有那种邻近模糊的时刻，便要在心中与他挥泪而别。

　　与女友相处，真是轻松得多、惬意得多。与女友聊天，像在温暖清澈的水中游了一次泳，清爽润滑，百骸俱松，灵魂仿佛被丝绸擦拭一新，又可以闪闪发光地面对生活了。

　　可惜世界太大，女友们要聚到一起太不容易。你有空时她没空，她得闲时你无闲。还有先生的事、孩子的事，像杂乱的水草缠住脚踝。大家相逢在一处，像九星连珠似的，时间要算计了又算计。

　　于是，女人们发明了电话聊天。忧郁的时候，寂寞的时候，悲哀的时候，烦躁的时候……电话像七仙女下凡时的难香，点燃起来，七八个号码拨完，女友的声音，就像施了魔法的精灵，飘然来到。

　　一位女友正在离婚，她在电话的那一端向我陈述，好像一只哀伤的蜜蜂。我静静地倾听，犹如一个专心的小学生。虽然时间对我来说极其宝贵，虽然我只听开头就猜出结尾，虽然夜已深沉，虽然心中焦虑，我依旧全神贯注地倾听，在她片刻的停顿时，穿插进亲昵的嗯或呵……我很希望自己能创造出杰出的话语，像神奇的止血粉撒布在朋友滴血的创口，那伤处便像马缨花的叶子一般静谧闭合……但我知道我不能。我能送给朋友的就是静静地倾听，所有的语言都苍白无力，沉默本身就是理解和友谊。

　　有时，铃声会在夜半突然响起，潜入我的梦中。夫比我灵醒，总是他先抓起电话，然后对我说："你的那群狐朋狗友又来啦！"

　　"你是毕淑敏吗？有件事情我想求你……"声音

大得震耳欲聋，使我疑心她就在楼下的公用电话亭。

其实她在城市的另一隅，女大当婚，却至今单身。她总是像潜艇一样突然浮出海面，之后又长时间地不知踪影。然而我知道她在人群中潇洒地活着，当她需要朋友的时候，就会不择时机地叩响我的耳鼓。

"有什么事你尽管说……"我一边披衣一边用眼光搜索鞋子，好像准备去救火。

"别那么紧张。"她轻快地笑了，"我只是想求你帮我写几个信封……"她说着，详详细细、清清晰晰交代给我一个男人的地址和姓名。

"因为这样一件事，就值得把我从温暖的被窝里薅出来吗？"我睡眼惺忪地问。

"这就是我的那个他呀！我每天要给他写一封信，传达室的老头都认识我的字迹啦！我想换种笔体，这样他取信时就不会难为情啦！"

哦！我的女友！我对着黑漆漆的玻璃窗做了一个鬼脸：为了她的男友，她可不怕叨扰自己的女友！

我也会在某个刹那下意识地抚摸电话键，好像触及一串润滑的珍珠。"你好。"我对一位女友说。"你好。"她说，"有什么事吗？"她清清凌凌地问，一点儿也不惊讶，好像预知我在这个时刻会找她。"没什么事，只是，想找人说说话……你们那里下雨了吗？"我沉吟着，继续组织着自己语言的阶梯。"下了，雨不小也不大。"她平静地回答。"我很想到雨里去行走，很喜欢在坏天气的时候，到湖里去划船……"我突然很急切地对她说。"嗯，你此时心情不好。"她说，"我们每个人都有这种时候，忍一忍就会过去。不要紧，做饭去吧，择菜去吧，看一本喜爱的书……要不然就真到风雨中去走走吧，不过，可要穿起风衣，撑起雨伞，最起码也需戴上斗笠……"我的心在这柔柔的劝慰之下，终于像黄昏的鸽群，盘旋之后，悄然落下。

每一位女友，都是一幅清丽的画。每一次谈话，都是一盏温馨的茶。我们互相凝眸，我们互相温暖，岁月便在女人们的谈话中慢慢向前推进。

42.
家中的气节

毕
淑
敏
文
集
〔
一
〕

　　我想说："家中无气节。"这话，肯定不堪一
击。中国人饿死事小，失节事大，哪里敢辱没气节
的丰姿呢？但我指的只是家中的琐碎，不过借用一
下此词的英名。

　　世上举案齐眉的家庭一定是有的，不能以我等
瓢勺相碰的日子，揣测人家的和睦是虚伪，但也一
定不多，因为矛盾的普遍性制约着我们。

　　大多数家庭都时常爆发争执，像界碑不清的小
国边境冲突不断。要是演变成正式宣战，干脆离婚罢
了，也不在范畴之内。那些先是苦恋苦爱，既争执不
断又处于冷战状态的家庭，似有讨论气节的余地。

　　有多少原则问题呢？真正的国计民生，大概并
不构成分歧的核心。甚至对家庭的大政方针，比

如，孩子要上大学，父母要延年益寿，工作要努力，住房要增加……双方也是高度和谐统一的。问题往往是出在一些很小的分工或态度的优劣上，比如："你是做饭还是洗衣？你为什么不和颜悦色而是颐指气使……"有时，简直就不知是为了什么，双方把外界的怒气直接打包带回家，单刀直入地进入了对峙阶段，除了不扔原子弹，家庭阴冷的气氛同大战无异。

为了对付这种莫名其妙的僵持，时新杂志上登出了许多驭夫或驭妻的"诀窍"，教你如何化干戈为玉帛。这些供人莞尔一笑的小诀窍，不知灵不灵。我看这其中的死结——就是如何对待家中的气节。

家是什么呢？是一对男女的永不毕业的大学，是适宜孩子居住的圣殿，是灵魂的广阔海滩，精神的太阳浴场。我们在尘世奔波、会见他人时的种种面膜，须在家中清洗复原。意志的疲软顿挫，须在亲情中柔软着陆。人们以为家中的人多温柔和蔼，真是错了。在涡轮般旋转的今天，家居的人也许比街市的人更脆弱、更敏感、更易冲动激惹。

常常听到因小事争吵的女人说："我从此不理丈夫，等他来同我说第一句话。"男人就更是不肯低下高昂的头，好像家是宁死不屈的刑场。

冷漠后恢复交谈的第一句话真是那么重要吗？

重于我们曾经有过的一生一世的寻找？第二句话真就那么卑下吗？低贱到后发制人，丧失了品格的尊严？第三句话真就那么平淡吗？淡到它如同抛弃我们以前拥有过的万语千言？

什么是家中的气节？既然我们相爱，爱就是我们共同的气节。你的失态，在我看来，是你的思绪溃败了。在这一个瞬间，我是你的强者。原谅、宽恕、包容和鼓励，就是家庭永远常青的气节。

有些人以沉默对待冷漠，消极地把缰交给时间。时间通常是一个中性的调解员，会使人们渐渐恢复冷静，但孤寂中只顾自家意气的男女不要忘了，时间也会跟我们开居心叵测的玩笑呢。当你缄默着不肯谅解时，家的瓶颈便出现第一道裂纹。继续对抗下去，锤子无聊地敲击着婚姻之瓶，随着时间的叠加，瓶子也许会訇然破碎。

太看重一己气节的人，其实是一种枯燥的自卑。你以为在亲人面前争得了面子，失去的却是尊重与宽容。片刻的满足带来了长久的隐患，聪明的男人和女人，千万别因小失大。

分歧时，不必拍案而起。争执起，义正词可不严。有失误，莫要声色俱厉。灾临头，携手共赴家难。如果一定要有家中气节，我想这几条该在其中。

43.
翅膀上驮着天堂亲人的期望

昨日从四川回来，在飞机上与同行的心理医生杨霞说："到了北京后，第一愿望是拿出一天时间，一句话也不说。只因这两天说的话太多，舌头已像撬杠一样僵直。"

和家里人可以不说话，但博客的文字还是要写。人们关注着灾区，会急切地询问每一个到过那里的人——灾区怎么样了？衣食住行可有保障？孩子们可有欢颜？山川可太平？大地可安稳？

大地并不安稳，时有余震发生。看报道，自5月12日四川大地震发生后，当地可以监测到的余震，已有9000多次。我们一向以为是最坚固最牢不可破的土地，却发生了可怕的崩裂与崩塌，这对于人们赖以生存的安全感的摧毁，已到了无以复加的地步。

从北京机场出发，我们一共有35件行李。主要是书籍和奥运福娃的挂件，都是送给北川中学孩子们的礼物。书是协和医科大学杨霞副研究员所撰写的《重建心灵家园》，副标题叫做"震后心理自助手册"，从书的名字你就可以知晓内容，对当前的灾后心理康复是多么及时并富有建设性。八万多字的书稿，杨霞医生用了三天时间，夜以继日地工作，并完全是义写，不取分文稿费，令人感动。石油工业出版社的编辑们在第一时间编辑出版，立下了汗马功劳。奥运福娃挂件，是北京石油附中的师生们精心挑选的。最让人安心的是——所有的书籍和福娃，都是按照2000人份准备的，北川中学现有1700多名学生，按人头分，每位老师和每个同学都有一份。我从小就特别害怕数量有限的礼物，发放时刻，有的人有，有的人没有。虽然我因为学习好，每次都会得到礼物，但我忘不了没有收到礼物的孩子的忧郁。我觉得太少的礼物，还不如没有呢。不然，令分配的人惆怅，对得不到礼物的孩子们来说，很容易引起自卑感。现在能充分供应满足大家最好，皆大欢喜。

2000本书，2000个福娃挂件，你可以想见它们的体积和重量。在办理登机牌的柜台前，女服务员说超重了几百公斤，如果按照规定罚款，大约需要7000元。我们赶紧解释，说这是送给灾区小朋友的心意，希望能够放行。红十字会办事人员说这可需要向机场领导请示，要不然，7000块钱呢，比他一个月的工资还多。请示的结果是免费放行，大家松了一口气。拿着长长一溜行李牌，觉得很气派。

驶往绵阳方向的车并不是很多，所有的车上，几乎都悬挂着"××省支援"的字样。你真的可以体会到一方有难八方支援的深情，感受到国家大了的好处。

在夜晚进入绵阳，周围是黑暗寂静的。车窗玻璃突然被水雾弥漫。原以为下雨了，细看才知道是戴着口罩的工作人员站在远处，用喷枪向车身喷洒药水。每一辆车都要在此沐浴一番，然后无毒一身轻地驶入这座聚焦着无数人目光的城市。

路旁的居民楼几乎没有灯光。我问司机，人呢？当地同志告知，绵阳为了预防唐家山堰塞湖的水患，已经按照第一方案撤离了二十万人。还有一些人到外地投亲靠友去了，留下的人，也不敢在楼房内居住，连续多少天了，都夜宿帐篷。楼内没有人，也没有光亮。

微明的路灯映照着壮观的帐篷阵。援建的蓝色帐篷，迷彩图案的草绿色军用帐篷，属于帐篷中的

贵族，它们有款有形有窗户，算帐篷群里的豪华别
墅。其余的帐篷五花八门，有用条纹布搭建的，有
用床单简单遮挡的，有的干脆就是一块搭在绳子上
的布头……相当于帐篷中的游击队，各自为战。我
第二天大清早在街上走，拍下了一张照片，是墙头
外的两块石头。你能猜出这是干什么用的吗？这是
坠帐篷用的。在大墙那边，有一顶小小的帐篷需要
它固定。

从北京出发的时候，已经考虑到了灾区的艰
苦，做好了住帐篷的准备，带了方便面和矿泉水，
心想不要给灾区人民添麻烦。不想到了安排住处的
时候，才知道要住楼房。我们一个劲儿地说，我们
可以住帐篷，完全不怕艰苦。后来才知道，帐篷在
灾区是紧俏物资，相比楼房要安全一些。当然了，
同志们是一片好意，房间比露宿野外要舒适一些。

分配我住六楼，一出楼梯，天花板断裂的豁
口，暴露出犬牙交错的管道。旁边房屋的门框已经
变形，裸露的水泥框架在暗淡的灯光下，有几分冰
冷。接待同志忙着解释，说房屋震后评测，只是接
缝处局部扭曲，不算危房之列。

大家互相交流防震经验，说要在洗手间、承重
墙等小开间的地方，放置饮水和巧克力，万一遭遇
垮塌，还可以坚持几天。临睡前，我把方便面放在

了卫生间，心想"方便"二字，用在此处，实在一箭双雕相得益彰。

不知道是不是精神紧张，还是我的平衡器官特别敏感，总觉得楼体时不时有轻微的抖动。躺了一会儿，未曾睡着，有点焦虑。因为明天要给北川中学的同学们讲课，若是一夜失眠，无精打采地站在讲台上，岂不辜负了信任？

我有择床的坏毛病，换了新地方，刚开始几天，常辗转反侧。平日委靡也就罢了，但明天事关重大，必得精神抖擞。我拿出安眠药，一边倒水一边开玩笑地想，吃还是不吃，这是一个问题啊。不吃，明天满面苍灰神色委顿，令同学们不爽。吃了，若是睡得太沉了，对余震毫无察觉，一觉醒来，也许已在瓦砾中探头探脑。

思谋的结果是一仰脖，吞下安眠药。

一夜安睡。早上起来，阳光灿烂。6点多钟，到绵阳的街头转悠。

很多大卡车，满载物资，停靠在路边。拍下一张照片，证明全国人民心系灾区。

看到街道十分清洁，有些诧异。本以为这里人心惶惶，未必有人顾得上洒扫街道这等平安日子里才注重的事。沿着没有任何纸屑和烟蒂的洁净路面走过去，看到了几位晨起打扫街道的女工。

我说："也许唐家山溃坝，绵阳到处都被淹了。你们为什么还要打扫呢？"

她们都是非常淳厚的人，互相看了看说："从地震以后，我们每天都在扫，一天也没有停过。要是淹了，就没法子打扫了。水退了，还要打扫。"

话朴实到这种地步，简直没有办法再问了。不管发生了怎样天崩地裂的事情，只要活着，就踏踏实实地完成自己的本分，这就是中国人的传承。我问："可以和你们照一张相吗？"

她们有些羞涩，说："当然能照啦。"于是急忙排在一起，我们等到了一个路人，请他为我们拍照，一位女工突然惊呼起来，说："我还拿着扫把呢，不好看啊。"想放下。我说："拿着吧，好看得很啊。"

我看到一处帐篷门口，蹲着一位大汉正在揉眼睛，想必昨夜不曾睡好。一问，得知是山东临沂来支援的志愿者，专门为灾区搭建活动房。我问："住在帐篷里，有没有蚊子？"

他说："多着呢。最怕的不是蚊子，是下雨。"

我说："是不是帐篷漏啊？"

他说："主要是我们搭建的活动房进度慢了。"

惭愧。我说的是自家的宿舍，人家说的是灾民的住处。

临分手时，我说："我能给你照张相吗？"

他想了想，很坚决地摇头："不能。"

我祖籍山东，觉得家乡大汉性格直爽，敢做敢当的，不知天下还有"害怕"二字，未曾想遭他拒绝。可能是看我不解，他说："主要是我跟家里人都说这里挺好的，住的吃的都不用他们发愁，要是知道我这里的实际情况，家里要担心的。"

心细如丝。

北川中学负责接待我们的是蹇书记，羌族。他唯一的女儿在这次地震中遇难，他说，女儿身高一米七，遇难的那一天，还得了一个全国奥林匹克英语的三等奖。蹇书记坚持在抗震救灾的第一线，胸前别着"共产党员"的徽章，照料着全校孩子们的生活学习。旁边走过一个女生，蹇书记说，她就是我女儿班上的。我看到了蹇书记眼中的泪光。是

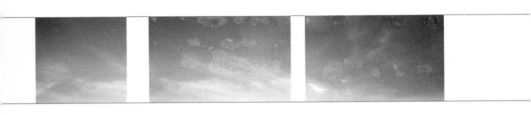

啊，同是一样的孩子，这一个还在阳光下微笑，那一个已经是天人永隔。这样的严酷，怎不叫人肝肠寸断！另有一位老师，孩子和妻子都在地震中遇难。他说："两个人，哪怕是留下一个也好啊，让我也好有个伴儿，有个盼头。现在，什么都没有了……"

在这样撕心裂肺的苦难面前，所有的言语都异常苍白。

我不知道说些什么。在为孩子们分发福娃的时候，我留下了一个绿色的妮妮。在所有的福娃中，我特别喜欢这一个，觉得她是个喜眉乐眼的女孩，翠绿得如同雨后清秀挺拔的嫩竹。我找到蹇书记，悄声对他说："这个福娃，请送给你的女儿吧。"

我想，在蹇书记的家中（如果把合住的帐篷也称作家），一定有一处洁净的地方，静息着一个如花女孩难舍难分的精灵。她的同学们今天都得到了一个福娃，她也应该有一个啊。

记得北川中学的一位被截肢的女孩说过："请你们不要称我的那些死去的同学是——没有来得及开放的花蕾，就已经凋落了。不，他们不是凋落，他们已经盛放过了。"

我被这句话深深打动，它充满了一种只有经历过死亡的人，才会有的练达和超拔，尽管那个女孩子只有12岁。是的，生命的价值从来不是以长短来衡量的。那些远去的少年，将他们辉煌的笑靥留给我们，在岁月的尘埃中灿烂千秋。

上午10点。

轮到我演讲了，正确地说，是上一堂特殊的语文课。

很紧张，因为从来没正儿八经地当过语文老师，因为面对的是经历过山摇地动的孩子们，因为孩子们的聪慧和早熟，也因为文章内容在此情此景此地讲解，有点文不对题。

那篇散文叫做《提醒幸福》，选入了全国初中二年级的语文课本。北川中学邀我这个作者讲讲自己的文章，说孩子们看到课文中的作者突然现身，饶有兴趣。

教室里大约有60个座位，坐满了初中二年级一班的学生（因各班都有伤亡，就把几个班合并了。现在是新的班级，满员上课）。还有一些高年级的孩子，曾学过这一课，也赶来听讲。加上站在教室后面的孩子，共约100名学生。老师对我说，本来有更多的孩子要来听课，但临时校址没有大礼堂，况且现在非常时期，为了出现大的余震时能够快速疏散，不能组织大规模的聚会。如果是在操场上，倒是没有生命危险，但天气炎热，怕孩子们中暑……

我怕自己讲得不对，误导了孩子们，私下里觉得来的学生越少越好，免得我讲错了，前脚走了，后脚害得正规的语文老师来纠偏，给人家添麻烦。

我悄声问蹇书记，讲课之前，要不要默哀。蹇书记说："孩子们经常默哀，每一回都会哭泣。这一次，就不必了吧。"

我站在黑板前面，开始了讲解。

在这片浸透了鲜血和眼泪的满目疮痍的土地上，宣讲幸福。面对着死去了父母死去了同学死去了老师的孩子们，宣讲幸福。从讲台上望下去，孩子们乌溜溜的眼珠，好像秋夜里的星辰，单纯明朗，却掩不住冷霜的寒凉。

我觉得自己根本没有资格和他们谈论幸福。

可是我必须讲下去。

那就从头说起吧。我讲："我为什么萌生出写这样一篇文章的动机呢？是因为大约二十年前，我看到过一篇报道，说的是国外的一家报纸，面向民众征集'谁是最幸福的人'的答案。回信纷至沓来，报社组织了一个各方人士汇成的班子，来评选谁是最幸福的人……"

讲到这里，我稍稍提高了声音，问道："大家说说，那谁是最幸福的人呢？"

我的本意是说，当年的报纸会征得怎样的答案？由于我不是训练有素的语文老师，这个问题，口气太开放了一些，也没有强调时间地域的前提。孩子们以为我的问号是：现在谁是世界上最幸福的人？

他们几乎异口同声地回答："我们！"

那一刻，我真真是怀疑自己的耳朵。后来，我把这一幕讲给别人听，听到答案的成人们也会充满疑惑地说："地震惨祸之后的孩子们居然说自己是最幸福的人？别是事先老师教好这样说的吧？"

我要非常郑重地宣布，那些孩子绝对是非常真诚地这样认为的，没有任何人事先授意他们。这不但是不可能的，而且是完全没有必要的。再说啦，我毕竟做过很长一段时间的临床心理医生，一个人说的是否是真心话，我还是有一点辨识力的。

　　大劫余生的孩子们，如此质朴地诠释了幸福。他们说，我们还活着，这就是幸福。我们还能上课，比起我们死去的同学们，这就是幸福。全国人民这样帮助我们渡过难关，这就是幸福。我们的翅膀上驮着天堂亲人们的希望，我们要高高飞翔，这就是幸福……

　　他们一个个地站起来发言，略带川音的普通话，稚嫩而温暖。我能做的唯一的事儿，就是控制住自己的泪水。

　　惊骇莫名！感动至深！钦佩不已！激动万分！

　　我的手提电话响了。真是非常抱歉的事情，我忘了关手机。我对同学们说："对不起，我马上关机。"就在我预备关机的瞬间，我听到电话提示音，说是有国外的电话。儿子在阿拉伯海上的游轮中，这正是他的号码。于是，我对同学们说："我儿子打来的电话，我很想接一下。"我看看表，已经上了40分钟的课了，同学们也需要上厕所，就此宣布：现在休息，10分钟以后继续上课。

　　儿子芦淼告知我，和平之船的引擎坏了一个，船速大为下降，原定赶到阿曼萨拉拉港的时间，推迟一天。船方正在紧急调运引擎，希望能够在下一个港口修复。此刻，阿拉伯海上洋流复杂，波浪滔天，船上到处都悬挂着呕吐袋，供人们随时使用，船员在紧张地检查救生艇。芦淼问："你好吗？"

我说："很好。你要多多注意安全啊。"

其实，我知道这话等于没说。有些时候，人能做的只有镇定。作为中国第一批"环球游"的旅客，征途上也是波光诡谲。

10分钟后，开始上第二节课。

将课文讲完之后，还有一点时间。我为刚才的接电话，向同学们致了歉。我又说："我原本是在环球游的，知道四川地震了，就从那条船上下来，把'和平之船'为你们捐的善款送回了北京。我说，在浩瀚的太平洋上，各国游客曾经为地震死难的中国人民默哀，我亲见他们的泪水潸然而下……"我说："我今天告诉你们这些，并不是说

他们捐赠了多少钱要你们记住，钱并不是最重要的。重要的是，你们并不孤立。除了有祖国大家庭的人们在关怀着你们，全世界爱好和平的仁慈的人们，也在关怀着你们。全世界都期望你们茁壮成长……"

说到这里，我突然想到一个问题，很想听听孩子们的意见。

我对北川中学的100名学生说："我现在有一个问题，想征求你们的看法。你们的意见，将极大地影响我的决定。这个问题就是——我是返回到游轮上继续我的环球游，还是留下来和你在一起？"

我以为孩子们要考虑很久，没想到他们马上异口同声地回答道："您去环球游！"

我说："难道没有不同意见吗？"

一个男孩子站起来说："我希望您留下来。"

我说，两方面都请谈谈自己的看法。

一方说，我们一定能战胜地震灾难，我们一定会取得胜利！您到船上去吧，你代表我们，带上我们的眼睛去看看世界吧。然后把世界远方发生的事情告诉我们。等我们长大了，也到全世界去看看！

主张我不去的男生说："毕老师，你看到了北川中学，看到这里已经复课，很多人在关怀着我们。但是，我的家在深山里，那里的震情也很严重，那里的孩子们还没法上学，他们需要帮助。尽你的力量帮助他们吧。"

我频频点头。最后我说："可否举手表决一下，我想知道两种看法各占多少比例？"

孩子们踊跃表态。大约97%的同学主张我去上船，3%的同学建议我留下来。一直在台下坐着目不转睛听我讲课的语文老师，也高高举起手臂，加入到赞同我上船的那一方（我对这位老师的认真听课，深表感谢。要知道，人家是正规部队，我是杂牌军啊）。

下课了。我拿起板擦，预备擦掉我写下的"提醒幸福"几个字（顺便说一句，北川中学使用的粉笔质量不佳，易断，色泽不白。如果谁到北川中学去，记得带上一些质量较好的粉笔，这样后排的同学们看起黑板的时候，比较省些眼力）。直到这时，我才注意到在黑板的左侧，有一个用粉笔框起来的长方形框子。老师对我说，这块黑板，就是温总理为我们北川中学写下"多难兴邦"四个字的地方。

谢谢北川中学所给予我的深厚信任！谢谢初中二年级一班的同学们给我的难忘教诲！谢谢苦难让我更深地眷恋祖国和人民！

北川中学的临时校舍设在长虹集团的培训中心，大约20名学生住一间帐篷，孩子们的精神面貌不错，除了看书，就是玩游戏。我拍了一张孩子们玩弹球跳棋的照片。问他们最希望做的事，回答是上课。

开饭的时间到了，伙食比较丰富，有四五个荤素搭配的菜。孩子们拿着统一配给的不锈钢餐盘，排队打饭。长虹集团全都是免费供给。

感谢善举。

在为长虹集团员工所做的演讲中，我看到大家非常疲惫。是啊，大震发生后的第一时间，长虹就组织抢险救援队，开赴北川。白天开足马力研发新产品，努力工作，多少个夜晚，他们从未安眠。

我说："长虹的兄弟姐妹们，咱们在开始之前，先闭上眼睛，放松身体，听我的引导，深深地吐出一口气……"

可大多数人都不听我指挥，他们抱歉地笑笑，依旧双目圆睁，警觉甚高。

我略一思索，明白他们实在无法放松自己的神经。这是一个人群高度麇集的场所，若是出现了危急情况，闭着眼睛，如何敏捷逃生？

我说："兄弟姐妹们，请放心。我会始终睁着眼睛。如果发生了余震，我会在第一时间唤醒大家。我向你们保证，我绝不会第一个跑出去，我一定让你们先走……"

　　大家会意地轻轻笑起来，安静地闭上了眼睛，放松了身体，减慢了呼吸。

　　我是个普通人，我害怕地震。但是，我站在讲台上，我就成了老师。我不会放下我的学生，我不能先跑。人活在世上，总有一些东西比一己的生命更重要。有些人不信，我信。

　　如果我不事先做准备，我也许无法控制我的本能。我想过了，我作出了决定，我就能指挥我的身体，我就能战胜本能。

　　和我相拥而泣的女孩叫姚瑶，她是长虹集团的职工。2008年5月12日14时28分，万顷山石将她的双亲掩埋，从那一分钟起，她无时无刻不在呼唤亲爱的爸爸妈妈，但天上地下，永无回音。

　　我知道她面前还有漫长的道路要走，她将步步啼血，万千悲苦。唯一令人安慰的是——姚瑶能谈到自己有十个优点，其中第一个优点是——我很坚强。

　　国殇之后，唯有坚强。

　　我想把北川中学孩子们的话转送给姚瑶——翅膀上驮着天堂亲人的希望，你要高高飞翔。

44.

没有少作

毕淑敏
文集
（一）

　　我开始写作的时候，已经很老，整整三十五周岁，十足的中年妇女了。就是按照联合国最宽松的年龄分段，也不能算作少年，故曰没有少作。

　　我生在新疆伊宁，那座白杨之城摇动的树叶没给我留下丝毫记忆。我出生时是深秋，等不及第二年新芽吐绿，就在襁褓中随我的父母跋山涉水，调到北京。我在北京度过了整个童年和少年时代，但是我对传统的北京文化并不内行，那是一种深沉的底色，而我们是漂泊的闯入者。部队大院好像来自五湖四海的风俗汇集的部落，当然，最主要的流行色是严肃与纪律。那个时代，军人是最受尊敬的阶层。我上学的时候，成绩很好，一直当班主席，少先队的大队长。全体队员集合的时候，要向大队辅导汇报情况，接受指示……充其量是一个"孩子头"。但这个学生中最骄傲的位置，持久地影响了我的性格，使我对夸奖和荣耀这类事，像打了小儿麻痹疫苗一般，有了强韧的抵抗力。人幼年时候，受过艰苦的磨难固然重要，但尝过出人头地的滋味也很可贵。当然，有的人会种下一生追逐名利的根苗，但也有人会对这种光环下的烟雾，有了淡漠它、藐视它的心理定力。

我中学就读于北京外语学院附属学校。它是有十个年级的一条龙多语种的外语专门学校，毕业生多保送北京外国语大学，对学生进行的教育是长大了做红色外交官。学校里有许多显赫子弟，家长的照片频频在报纸上出现。本来，父亲的官职已令我骄傲，这才第一次认识到了"山外有山，天外有天"，虚荣之心因此变平和了许多。我们班在小学戴三道杠的少说也有二十位，正职就不下七八个，僧多粥少，只分了我一个中队学习委员。不过，我挺宁静，多少年来过着管人的日子，现在被人管，真是省心。上课不必喊起立，下课不必多做值日，有时也可扮个鬼脸耍个小脾气，比小学时众目睽睽下以身作则的严谨日子自在多了。不过，既然是做了学习委员，学习必得上游，这点自觉性我还是有的，便很努力。我现在还保存着一张那时的成绩单，所有的科目都是5分，唯有作文的期末考试是5-。其实，我的作文常作为范文，只因老师期末考试时闹出一个新花样，考场上不但发下了厚厚一沓卷纸，还把平日的作文簿也发了下来。说此次考试搞个教改，不出新题目了，自己参照以前的作业，拣一篇写得不好的作文，重写一遍，老师将对照着判分，只要比前文有进步，就算及格。一时间，同学们欢声雷动，考场里恐怖压抑的气氛一扫而光。我反正不怕作文，也就无所谓地打开簿子，不想一翻下来，很有些为难。我以前所有的作文都是5分，慌忙之中，真不知改写哪一篇为好。眼看着同学们唰唰动笔，只得无措地乱点一篇，重新写来。判卷的老师后来对我说，写得还不错，但同以前那篇相比，并不见明显的进步，所以给5-。我心服口服。那一篇真是不怎么样。

"文化大革命"兴起，我父母贫农出身，青年从军，没受到什么冲击。记得我听到"停课闹革命"的广播时，非常高兴。因为马上就要期末外语口试，将由外籍老师随心所欲地提问。比如你刚走进考场，他看你个子比较高，就会用外语冷不丁地问："你为什么这样高大？"你得随机应变地用外语回答："因为我的父亲个子高。"他穷追不舍："为什么你的父亲个子高？"你回答："因为我爷爷长得高。"他还不死心，接着问："为什么你爷爷高……"你就得回答："因为我爷爷吃得多……"外籍老师就觉得这个孩子反应机敏，对答如流，给个好分。面对这样的经验之谈，我愁肠百结。我的外语不错，简直可算高材生，但无法应付这种考试，肯定一败涂地。现在难题迎刃而解，怎能不喜出望外？

我出身不错，但不是一个好红卫兵，因为我舍不得砸东西，也不忍心对别人那么狠。我一看到别人把好好的东西烧了毁了，就很痛心，大家就说我革命不坚决，出头露面的事就不让我干了。比如抄家时别人都在屋里掘地三尺，搜寻稀奇古怪的罪证和宝贝，撇我一个人在荒凉的院子里看着"黑五类"。"地富反坏"对我说："想上厕所了。"我说："去呗。"那人说："你不跟着了？"我说："厕所那么味，我才不去呢，你快去快回。"那人说："我自己不敢去，要是叫别的红卫兵看见了，说我是偷着跑出去，还不得把我打死？"我一想，只好跟他到街上的公共厕所。红卫兵首领看见我拄着木枪，愁眉苦脸地站在厕所门口，问："你这是给谁站岗？"我说有一个让我看管的人正在方便。"首领大惊道："你一个小女孩半夜三更地待在这里，就不怕他一下子蹿出来，把你杀了？"

我毛骨悚然，说："那他要上厕所，我有什么办法？"首领手一挥说："这还不好办，让他拉在裤子里……"正说着，那个坏分子出来了，很和气的样子，一个劲地感谢我。首领对我无可奈何地摇摇头，认定我阵线不清。其实，我只是无法想象不让别人上厕所一直憋下去的情形，将心比心，觉得太难受了。首领以后分配抄家任务的时候，干脆只让我去看电话、印战报，认为我不堪造就。

班上同学把某女生的被子丢在地上，要泼冷水，理由是她父亲成了"黑帮"，我强烈反对这样做，挺身而出，几乎同一个班的人为敌。以前我和大家关系都不错，大伙看我这么坚决，就退了一步。只象征性地在她被子角上洒了些水，大部分棉絮还可以凑合着盖。那个女生现在是高级工程师，有时想起往事，还说："毕淑敏，你当年怎么那么勇敢？觉悟那么高？"我说："这跟觉悟和勇敢可没一点关系，我只是想，一个人要在浸满冷水的被子里睡觉，多冷啊！再说棉花招谁惹谁了，为什么非得作践被子？"

久久地不上课，也是令人无聊的事情。当外语口试的阴影过去之后，我开始怀念起教室了。学校有建于20世纪初叶的古典楼房，雕花的栏杆和木制的楼梯，还有像水龙头开关一般复杂的黄铜窗户插销，都用一种久远渊博的宁静召唤着我们。学校图书馆开馆闹革命，允许借"毒草"，条件是每看一本，必得写出一篇大批判文章。我在光线灰暗的书架里辗转反侧，连借带偷，每次都夹带着众多的书蹒跚走出，沉重得像个孕妇。偷的好处是可以白看书，不必交批判稿。就像买东西的时候顺手牵羊，不必付钱。写大批判稿是很苦的事情，你明明觉得大师的作品美轮美奂，却非得说它一无是处，真是除了训练人说假话以外，就是让人仇恨自己毫无气节。我只好一边写一边对着天空祷告："亲爱的大师们，对不起啊，为了能更多地读你们的书，我只好胡说一通了。你们既然写出了那么好的书，塑造了那么多性格复杂的人物，就一定能理解我，一定会原谅一个中国女孩的胡说八道……"我那时很傻，从来没把任何一本偷来的书，据为己有，看完之后，不但如约还回，连插入的地方都和取出时一模一样，生怕有何闪失。这固然和我守规矩的天性有关，私下里也觉得如果图书管理员发现了书总是无缘无故地减少，突然决定不再借书，我岂不因小失大，悔之莫及！

同学们刚开始抢着看我的书，但她们一不帮我写大批判文章，二来看得又慢，让我迟迟还不上书，急得我抓耳挠腮，也顾不得同学情谊，索性把她们看了一半的书劈手夺下，开始我下一轮的夹带。大家不干，就罚我把没看完的部分讲出来。这样，在1966年以后那些激烈革命的日子里，在北京城琉璃厂附近一所古老的楼房里，有一个女孩给一群女孩讲着世界名著，雨果、托尔斯泰、巴尔扎克……

我并不觉得年龄太小的时候，在没有名师指点的情形下，阅读名著是什么好事。我那时的囫囵吞枣，使我对某些作品的理解终身都处在一种儿童般的记忆之中。比如我不喜欢太晦涩太象征的作品，也许就因为那时比较弱智，无法咀嚼微言大义。我曾清清楚楚地记得我对想听《罪与罚》的同学讲，它可没意思了……至今惭愧不已。

1969年2月我从学校应征入伍，分配到西藏阿里高原部队当卫生员。以前我一般不跟人说"阿里"这个具体的地名，因为它在地图上找不到，一个名叫"狮泉河"的小镇标记，代表着这个三十五万平方公里的广袤高原。西藏的西部，对内地人来说，就像非洲腹地，是个模糊所在，反正你说了人家也不清楚，索性就不说了。自打出了一个孔繁森，地理上的事情就比较有概念了，知道那是一个绝苦的荒凉之地。距今二十多年以前的藏北高原，艰苦就像老酒，更醇厚一些。我在那支高原部队里待了十一年。之所以反复罗列数字，并非炫耀磨难，只是想说明，那段生活对于"温柔乡"里长大的一个女孩子，具有怎样惊心动魄的摧毁与重建的力量。

我的童年和少年时代，充满了爱意和阳光。父母健在，家庭和睦，身体健康，弟妹尊崇，成绩优异，老师夸奖，甚至在"文化大革命"中，也大致平安。我那时幼稚地想，这个世界上的社会主义只有两家，中国和阿尔巴尼亚。那盏亚德里亚海边的明灯虽然亮，规模还是小了一点，当然是生在中国为佳了。长在首都北京，就更是幸运了。学上不成，出路无非是上山下乡或是到兵团，能当上女兵的百里挑一，这份福气落到了我的头上，应该知足啊……

在经过了一个星期的火车、半个月的汽车颠簸之后，五个女孩到达西藏阿里，成为这支骑兵部队有史以来第一批女兵，那时我十六岁半。

从京城优裕生活的学外语女孩，一下子坠落到祖国最边远的不毛之地的卫生员（当然，从海拔的角度来说是上升了，阿里的平均高度超过了五千米）。我的灵魂和肌体都受到了极大震动。也许是氧气太少，我成天迷迷糊糊的。有时竟望着遥远的天际，面对着无穷无尽的雪原和高山，心想，"这世界上真还有北京这样一个地方吗？以前该不是一个奇怪的梦吧？"只有接到家信的时候，才对自己的过去有一丝追认。

我被雪域的博大精深和深邃高远震骇住了。在我短暂的生命里，不知道除了灯红酒绿的城市，还有这样冷峻严酷的所在。这座星球凝固成固体时的模样，原封不动地保存着，未曾沾染任何文明的霜尘。它无言，但是无往而不胜，和它与天同高与地齐寿的沧桑相比，人类多么渺小啊！

我有一件恒久的功课，就是——看山。每座山的面孔和身躯都是不同的，它们的性格脾气更是不同。骑着马到牧区送医送药时，我用眼光抚摸着每一座山的脊背和头颅，感到它们比人类顽强得多，永恒得多。它们默默无言地屹立着，亿万斯年。它们诞生的时候，我也许只是一段氨基酸的片段，无意义地漂浮在空气中，但此刻已幻化成人，骄傲地命名着这一座座雄伟的山。生命是偶然和短暂的，又是多么宝贵啊。

有人把宇宙观叫做世界观，我想这不对。当我们说到世界的时候，通常指的是熙熙攘攘的人类世界。当你在城市和文明之中的时候，你可以坚定不移地认为，宇宙就是世界，世界就是宇宙，它们其实指的就是我们这颗地球。但宇宙实在是一个比世界大无数倍的概念，它们之间是绝不可划等号的。通过信息和文字，你可以了解世界，但只有亲身膜拜大自然，才能体验到什么是宇宙。

我还没有听什么人说过他到了西藏，能不受震撼地原汤原汁地携带着自己的旧有观念返回城市。这块地球上最高的土地，把一种对于宇宙和人自身

的思考，用冰雪和缺氧的形式，强硬地灌输给每一个抵达它的海拔的头脑。

对于一个十六岁的女孩来说，这种置换几乎是毁灭性的。我在花季的年龄开始严峻郑重地思考死亡，不是因为好奇，而是它与我摩肩擦踵，如影随形。高原缺氧，拉练与战斗，无法预料的"高原病"……我看到过太多的死亡，以至于有的时候，都为自己的依然活着深感愧疚。在那里，死亡是一种必然，活着倒是幸运的机遇了。在君临一切的生死忧虑面前，我已悟出死亡的真谛，与它无所不在的黑翅相比，个人所有的遭遇都可淡然。

现在我要做的事，就是返回来，努力完成生命给予我的缘份。我是一个很用功的卫生员，病人都说我态度好。这样，我很快入团入党，到了1971年推荐第一批工农兵学员上军医大的时候，人们不约而同地举荐了我。一位相识的领导对我说："把用不着的书精简一下，过几天有车下山的时候，你就跟着走了，省得到时候抓瞎。"

我并没有收拾东西，除了士兵应发的被褥和一本卫生员教材，我一无所有，可以在接到命令半小时之内，携带全部家当迁到任何地方去。我也没有告诉家里，因为我不愿用任何未经最后认证的消息骚扰他们，等到板上钉钉时再说不迟。

　　几天，又几天过去了。我终于没有等到收拾东西的消息，另外一个男卫生员搭顺路的便车下山，到上海去念大学。我甚至没去打听变故是为什么，很久之后才知道，在最后决策的会议上，一位参加者小声说了一句："你们谁能保证毕淑敏在军医大学不找对象，三年以后还能回到阿里？"一时会场静寂，是啊，没有人能保证。这是连毕淑敏的父母、毕淑敏自己都不能预测的问题。假如她真的不再回来，雪域高原好不容易得到一个培训名额，待学业有成时就不知便宜了哪方热土。给我递消息的人说，当时也曾有人反驳，说她反正也嫁不到外国去，真要那样了，就算为别的部队培养人才吧。可这话瞬间被窗外呼啸的风雪声卷走，不留一丝痕迹。

　　我至今钦佩那时的毕淑敏，没多少阅历，但安静地接受这一现实，依旧每天平和地挑着水桶，到狮泉河畔的井边去挑水（河旁的水位比较浅），供病人洗脸洗衣。挑满那锈迹斑斑的大铁桶，需要整整八担水。女孩其实是不用亲自挑水的，虽然那是卫生员必需的功课。只要一个踌躇的眼神一声轻微的叹息，绝不乏英勇的志愿者。能帮女兵挑水，在男孩子那里，是巴不得的。

　　山上的部队里有高达四位数字的男性，只有一位数字的女兵，性别比例上严重失调。军队有句糙

话，叫"当兵三年，老母猪变貂蝉"。每个女孩都确知自己的优势，明白自己有资格颐指气使，只要你愿意，你几乎能够指挥所有的人，得到一切。

我都是独自把汽油桶挑满，就像按时完成家庭作业，在海拔五千米的高原上，我很悠闲地挑着满满两大桶水安静地走着，换肩的时候十分轻巧，不会让一滴水泼洒出来。我不喜欢那种一溜小跑很逃窜的挑水姿势，虽说在扁担弹动的瞬间，会比较轻松，但那举止太不祥和了。我知道在我挑水的时候，有许多男性的眼光注视着我，想看到我窘急后伺机帮忙。

在我的有生之年，凡是我自己能做到的事情，都不会假以他人。不但是一种自律，而且是对别人的尊重。如果凭自己的努力，已无法完成这一工作，我就会放弃。我并不认为不达目的决不罢休是一种非常良好的生活状态，它过于夸大人的主观作用，太注重最后的结局了。在一切时候，我们只能顺从规律，顺从自然。

开始学做卫生员，没有正规的课堂，几乎像小木匠学徒一样，由老医生手把手地教。惊心动魄的解剖课，其真实与惨烈，任何医科大学都不可比。记得有一个肝癌牧人故去，老医生对我们说："走，去看看真正的恶性肿瘤。"牧人的家属重生不重死，他们把亲人的遗体托付给金珠玛米（解放西藏后，解放军的专有称呼，救苦救难的菩萨兵），活着的人赶着羊群逶迤而去。金珠玛米们把尸体安放在担架上，抬上汽车，向人迹绝踪的山顶开去，将在那里把尸身剖开，引来秃鹫，实施土法的"天葬"。

那是我第一次与死人相距咫尺，我昨天还给他化验过血，此刻他却躺在大厢板上，随着车轮的每一次颠簸，像一段朽木在白单子底下自由滚动，离山顶还有很远，路已到尽头，汽车再无法向前。我们把担架抬下来，高托着它，向山顶攀去。老医生问："你抬前架还是后架？"我想想说："后面吧。"因为抬前面的人负有使命，需决定哪一座峰峦才是这白布下的灵魂最后的安歇之地，我实在没有经验。

灵魂肯定是一种有负重量的物质，它离去了，人体反而滞重。我艰难地高擎担架，在攀登的路上竭力保持平衡。尸体冰凉的脚趾隔着被单颤动着，坚硬的指甲鸟喙一样点着我的面颊。片刻不敢大意，我紧盯着前方人的步伐。倘若他一个失手，肝癌牧人非得滑坐在我的肩膀上。

　　山好高啊，累得我几乎想和担架上躺着的人交换位置。我抑制着喉头血的腥甜，说："秃鹫已经在天上绕圈子了，再不把死人放下，会把我们都当成祭品的。"老医生沉着地说："只有到了最高的山上，才能让死者的灵魂飞翔。我们既然受人之托，切不可偷工减料。"

　　终于，到了伸手可触天之眉的地方。担架放下，老医生把白单子掀开，把牧羊人铺在山顶的砂石上，如一块门板样周正，锋利的手术刀口流利地反射着阳光，簌然划下……他像拎土豆一般把布满肿瘤的肝脏提出腹腔，仔细地用皮尺量它的周径，用刀柄敲着肿物，倾听它核心处混沌的声响，一边惋惜地叹道："忘了把炊事班的秤拿来，这么大的癌块，罕见啊……"

　　秃鹫在头顶愤怒地盘旋着，翅膀扇起阳光的温热。望着牧人安然的面庞，他的耳垂上还有我昨日化验时打下的针眼，粘着我贴上去的棉丝。因为病的折磨，他瘦得像一张纸。尽管当时我把刺血针调到最轻薄的一档，还是几乎将耳朵打穿。他的凝血机制已彻底崩溃，稀薄的血液像红线似的无休止流淌……我使劲用棉球堵也无用，枕巾成了湿淋淋的红布。他看出我的无措，安宁地说："我身上红水很多，你尽管用小玻璃瓶瓶灌去好了，我已用不到它……"

面对苍凉旷远的高原，俯冲而下乜视的鹰眼，散乱山之巅的病态脏器和牧羊人颜面表皮层永恒的笑容，在那一瞬间，我明白了什么叫做"生命"。

一个人在非常年轻的时候洞彻生死，实在是一种大悲哀，但你无法拒绝。这份冰雪铸成的礼物，我只有终生保存，直至重返生命另外形态的那一天。

我的一首用粉笔写在黑板报上的小诗，被偶尔上山又疾速下山的军报记者抄了去，发在报上。周围的人都很激动，那个年代铅字有一种神秘神圣的味道。我无动于衷，因为那不是我主动投的稿，我不承认它是我的选择。以后在填写所有写作表格的时候，我都没写过它是我的处女作。

我终于凭着自己的努力上了学，在学校的时候，依旧门门功课优异，这对我不是一件很难的事情。我成了一名军医，后来，结婚生子。到了儿子一岁多的时候，我从北京奶奶家寄来的照片上，发现孩子因为没有母亲的照料，有明显的佝偻病态。我找到阿里军分区的司令员，对他说："作为一名军人，为祖国，我已忠诚地戍边十几年。现在，我想回家了，为我的儿子去尽职责。"他沉吟了许久说："阿里很苦，军人们都想回家，但你的理由打动了我。你是一个好医生，幸亏你不是一个小伙子，不然，我无论如何也不会放你走。"

回到北京。很长一段时间内，我学烹调，学编织，学着做孩子的棉裤和培育开花或是不开花的草木……我极力想纳入温婉女人的模式，甚至相当成功地做到了这一点。我发的绿豆芽雪白肥胖。自给有余外，还可支援同事的饭桌，大伙说可以到自由市场摆个地摊啦！

唯有我自己知道，在我的脉管深处，经过冰雪洗礼的血液已不可能完全融化，有一些很本质的东西发生过，并将永远笼罩着我的灵魂。在寒冷的高处，有山和士兵，有牧羊人和鹰呼唤着我，既然我到达过地球上最险峻的雪域，它就将一种无以言传的使命强加于我。

我开始做准备，读文学书，上电大的中文系……对于一个生活稳定、受人尊重的女医生来说，实有"不务正业"之嫌，我几乎是在"半地下"的状态做这些事，幸好我的父母我的丈夫给予我深长的理解和支持。这个准备过程挺长，大约用了一个孩子从一年级到小学毕业的时间，当助跑告一段落的时候，我已人到中年。

在一个很平常的日子，正好我值夜班，没有紧急病人。日光灯下铺开一张纸，开始了我第一篇小说的写作。

关于以后的创作，好像就没有多少可说的了，我按部就班地努力写着，尽量做得好一些。只要自觉尽了力，也就心安。已经走了很长的路，假如没有意外，还有很长的路要走。

我写的文字能印在报刊上这件事，我的父母很看重，这是我始料不及的。我的那些并不成熟的作品，曾给我重病中的父亲带来由衷的快乐，他嘱咐我要好好地写下去。父亲已经远行，最后的期望在苍茫的天穹回响。为了不辜负他们的目光，我将竭尽全力。

认真地生活和写作，以回答生命。当我写作第一篇作品的时候，就是这样想的，现在依然。

45.

炼蜜为丸

文
集
〔
毕
淑
敏

新体验是旧体验树上新绽开的花。

我做过许多年的医生，自以为已经熟谙了死
亡。当我躺到临终关怀医院凹陷的病床上时，才发
现我还远远不懂死亡。

国人重生不重死。"好死不如赖活着。""或
轻于鸿毛或重于泰山"是古人传下来的真理，被伟
人用语录加以固定，好像生死只有这两极。

绝大多数的人，死得如同鹅卵石，他们是泰山
的一部分，却不会飞到天上去，不轻也不重。

我早就想描绘这部分人的死，因为我也在这一
类。

感谢《北京文学》，他们的动议像引信，使我
的写作欲望爆炸起来，于是有了许多寒风凛烈中的采

访，有了许多北京街头的踯躅，有了许多促膝谈心的
温馨，有了许多深夜敲击电脑的疲倦……我径直走进
将逝者最后的心灵，观察人生完结的瞬间。那真是对
神经猛烈的敲击，以至于我怀疑面纱是否不要撩起？
一位60岁的生物教授得知我的写作计划说："我不要
看你的这篇小说，不要看！我不想谈论死亡。"

　　我不知持她这意见的是人群的全部还是个别。
也许是因为我还年轻，死亡距离我还远，所以谈起
来还有些勇气，少年不知死滋味。

　　那更要赶快谈了。人到了畏惧死亡的那一天，
死亡可就真真同我们摩肩擦踵。

　　还有那些陪伴将逝者的善良人们，我深深地为
他们所感动。感动在某些人眼中，似乎是一种低级
体验，却是我写作时持久的源泉。唯有感动了我的
人和事，我才会以血为墨写下去，否则便不如罢
笔。这感动是有严格界限的，对个人尤为苛刻。我
会经常为一些私事苦恼，它可以纠缠我，却不会感
动我。或者说我尽量不让那些只属于个人的悲哀蒙
住我的双眼。个人的情感只有同人类共同的精神相
通时，我以为它才有资格进入创作视野，否则只不
过是隐私。

　　在这篇名为《预约死亡》的小说里，没有通常
的故事和人，只有一些故事的片断像浮冰漂动着。

除了贯穿始终的那个"我",基本上是我的思维脉络,其他为虚拟。一位朋友说:"你跑了那么多次,录了那么多音,做了那么多的笔记,看了那么多的书,甚至躺在死过无数人的病床上……我告诉你,你身上一定沾了死人的碎屑。在付出了这么许多以后,你却写小说。小说没有这么写的,小说不是这么写的。写小说用不着这么难。"

但我这篇小说就是这么写的,在付出了和一个报告文学家不敢说超过起码可以说相仿的劳动之后,我用它们做了一篇小说。我在书案前重听濒危者的叹息,不是为了写出那个老人操劳的一生,只是为了让自己进入一种氛围。故事是经过提炼的,氛围绝对真实。我把许多真实的故事砸烂,像捣药的月兔一样,操作不停。我最后制出一颗药丸,它和所有的草药茎叶都不相同,但毫无疑义,它是它们的儿子。至于它是它们的精华还是它们的糟粕,那在于我提炼的手艺好孬,与我的主张无关。

体验不可以嫁接,但能够生长。

中药里有一句术语,叫做"炼蜜为丸"。意为用上等蜂蜜作为黏合剂,使药料紧结为一体,润滑光泽,黑亮美丽。新体验小说光有情感体验我以为是不够的,或者说这体验里不仅包括了感觉的真谛,更需涵盖思想的真谛。真正的小说家应该也必须是思想家，只不过他们的思想是用优美的故事、栩栩如生的人物、跌宕起伏的情节、缜密的神经颤动、精彩的语言包装过的，犹如一发发糖衣炮弹。他们不是有意这样做的。有意这样做的，叫做哲学家。

你欣赏小说的时候，自然也可以买椟还珠，只喜欢作家的某一技巧，比如语言。这都不妨事的，好像一盘菜，你不爱吃里面的葱，挑出来就是了，但葱已渗进所有的羊肉，你在不知不觉中已明了作家对世界的把握。感觉如果只是神经末梢风声鹤唳的抖动，时间长了，只怕要断。

我在临终关怀医院采访的时候，泪水许多次潸然而下。我不是一个爱哭的女人，但悲哀像盐水浸泡着我。当我写作的时候，我已经超然，是死亡教会了我勇敢，教会了我快乐，教会了我珍惜生命，教会了我热爱老人。当然我以前也不是没有这些优良的想法，它们像空的气球皮，瘪在心灵的角落。临终关怀医院像气筒把它们充得膨胀起来，飘扬在天空。

我希望我的笔将我的念头传达出来，尽可能地不失真。

人只要活着，就生活在体验的海洋里，无以逃遁。

文学是古老而求新的行当，当感受时代的新痛苦、新欢乐。

图书在版编目（CIP）数据

恰到好处的幸福/毕淑敏著. —长沙：湖南文艺出版社，
2014.2
ISBN 978-7-5404-6501-8

Ⅰ.①恰… Ⅱ.①毕… Ⅲ.①散文集 – 中国 – 当代 Ⅳ.①I267

中国版本图书馆CIP数据核字（2013）第282039号

上架建议：名家经典｜散文

恰到好处的幸福

作　　者：毕淑敏
出 版 人：刘清华
总 策 划：谢不周
责任编辑：薛　健　刘诗哲
监　　制：蔡明菲　潘　良
特约策划：董晓磊
封面设计：壹诺设计
封面插图：VIVID雨希
内文插图：朴　缜
版式设计：李　洁
出版发行：湖南文艺出版社
　　　　　（长沙市雨花区东二环一段508号 邮编：410014）
网　　址：www.hnwy.net
印　　刷：北京京都六环印刷厂
经　　销：新华书店
开　　本：880mm×1270mm　1/32
字　　数：150千字
印　　张：8
版　　次：2014年2月第1版
印　　次：2015年1月第3次印刷
书　　号：ISBN 978-7-5404-6501-8
定　　价：32.80元
（若有质量问题，请致电质量监督电话：010-84409925）